CONSTRUIRE L'HOMME

Du même auteur aux Éditions de l'Atelier :

La ville et l'homme, prix Jansen 1954 (épuisé)
Prières
Aimer, ou le journal de Dany
Donner, ou le journal d'Anne-Marie
Le Christ est vivant !
Dieu m'attend
L'Évangile à la télévision
Michel Quoist – A cœur ouvert
Parle-moi d'Amour
Réussir
Itinéraires
Chemins de Prières
Un temps pour Dieu
Dieu n'a que des désirs
Quand la vie devient prière, (Foi vivante)
Présentation de *La voix des hommes sans voix,* (Paroles de l'Abbé Pierre)
Vivre à 100 %, série de 20 fiches à thème, pour aider les jeunes chrétiens de 4e/3e à regarder leur vie à la lumière de l'Évangile. Avec un livre pour animateur.

Imprimé en France   *Printed in France*
ISBN 2-7082-3319-X

Michel QUOIST

CONSTRUIRE L'HOMME

Les Éditions Ouvrières
12 avenue Sœur Rosalie
75013 Paris

Quelques mots à mes amis lecteurs

Pour mieux comprendre ce livre, il faut peut-être vous dire brièvement à quelle occasion et comment il a été écrit. En fait, il ne s'agit pas d'un texte, mais de plusieurs moutures, rédigées au fur et à mesure de journées, de week-ends et de sessions plus récentes s'adressant à tout public.

Cet ouvrage est en partie une reprise du livre « RÉUSSIR », enrichie par la réflexion, le contact avec des spécialistes (éducateurs, psychologues ...), mais surtout avec les personnes auxquelles je m'adressais. J'ai privilégié l'enseignement de la vie, à partir de la vie, en décidant, dans la rédaction du livre, de laisser de côté l'appareil scientifique, optant pour une forme simple et imagée qui s'adresse directement aux personnes : le tutoiement essaie ainsi de pallier le manque de contact direct avec les personnes. Celles-ci en effet ne se sont pas contenté de recevoir, mais ont dialogué avec moi, m'enrichissant de leurs questions, et s'enrichissant, je l'espère, de mes réponses. La forme écrite m'a obligé malheureusement à éliminer toutes les histoires humaines d'où vient la réflexion et où elle s'est enracinée.

Ces quelques mots sur l'élaboration de ce livre expliqueront je l'espère, pourquoi, s'il fait un tout, en fait très structuré, celui-ci n'est pas absolument équilibré dans ses différentes parties. Il s'est bâti autour des questions auxquelles j'ai tenté de répondre, en fonction de l'âge, de la culture, de la situation des personnes, de leur engagement dans leur vie personnelle et collective, humaine et chrétienne (jeunes, parents, éducateurs, prêtres ou laïcs, etc.). Les premiers auditeurs ayant été des jeunes, entre dix-huit et vingt- cinq ans en général, leur principal besoin était de se construire personnellement. Il fallait me semblet-il leur offrir les bases de cette construction avant de leur en expliquer le développement, sur tous les plans, et en particulier celui de l'engagement dans leur couple, leur travail, et dans la société. Certains regretteront ainsi que tel ou tel aspect soit moins développé, tandis que d'autres se réjouiront, y trouvant des réflexions qui répondent plus immédiatement à leurs questions présentes.

À la lecture du livre, les chrétiens constateront que j'ai toujours hésité à leur proposer une vue de foi au fur et à mesure de l'exposé. Malgré quelques éclairages voulus pour orienter leur lecture, je comptais réserver la dernière partie de l'ouvrage à un développement plus important sur le Christ total : « Tout ce qui a été fait a été fait par Lui, et rien de ce qui a été fait n'a été fait sans Lui », nous dit saint Jean.

Mais la maladie m'a rattrapé. Atteint d'un cancer, je suis hélas obligé d'écourter très sérieusement ce chapitre final. Je me permets de signaler tous mes autres ouvrages. Pour en finir, ils poursuivent tous, sous des formes très différentes, le même but : aider à la rencontre de Jésus dans toute la vie pour bâtir avec Lui un homme et un monde équilibrés, un enfant épanoui, comme le désire le Père depuis toujours.

* * *

En médecine, un spécialiste, avant de s'attacher à l'étude approfondie d'un membre ou d'une fonction, s'applique à découvrir et comprendre l'ensemble du corps humain : de la même façon, je me permets de vous conseiller la lecture de l'ensemble de l'ouvrage, pour s'imprégner de sa dynamique globale, et de ne revenir et réfléchir qu'ensuite aux aspects particuliers qui nous interpellent plus spécialement.

Chers amis, merci de m'avoir lu. Puis-je vous demander de prier pour moi ? Je vous assure que je prie pour vous et que je continuerai plus tard, près du Seigneur. J'ai toujours considéré mes lecteurs comme des amis.

Michel Quoist

INTRODUCTION

Construire l'homme dans sa totalité ou « L'homme en relation dans ses trois dimensions »

Un arbre n'est pas qu'un tronc. Il n'est arbre et ne se développe que par ses racines, qui le relient à la terre par la sève qui l'anime et par les branches qui le relient au ciel. Ce sont ses différentes « dimensions ». Si à l'intérieur de l'une d'elles, la relation se détériore, l'arbre s'anémie. Si cette relation est coupée, l'arbre risque la mort.

Il en est ainsi pour l'homme. *Celui-ci n'existe qu'en tant qu'être en relations* :

• *relation à l'intérieur de lui-même*, car il est composé d'un corps, d'un cœur, d'un esprit dans l'unité d'une seule personne :

c'est sa « *dimension intérieure* »

• *relation avec la nature*, l'arrière-pays de son corps : c'est-à-dire l'univers tout entier, jusqu'aux dernières étoiles ..., mais aussi cet univers développé, transformé, aménagé, par l'effort collectif de toute l'humanité : travail manuel, scientifique, technique, artistique ...

• *et relation avec tous les autres hommes*, depuis les plus proches, jusqu'aux plus lointains ; ceux d'hier, d'aujourd'hui et de demain qui, unis entre eux comme les membres d'un corps, doivent ensemble former le grand CORPS HUMANITÉ.

ce sont ses deux « *dimensions horizontales* »

• *enfin, relation avec la Source de la vie* qui l'anime et anime l'humanité et l'univers. Source que les croyants appellent DIEU.

c'est sa « *dimension verticale* ».

C'est pourquoi dans cet essai sur la « Construction de l'homme dans sa totalité », nous distinguerons *trois grandes parties* (très inégalement développées) :

1) *L'homme et sa dimension intérieure*

2) *L'homme dans sa dimension horizontale*
   – *vers l'univers*
   – *vers l'univers transformé par tous*
   – *vers l'humanité*

3) *L'homme en relation avec la source de la vie*
   – *vers Dieu*

Si nous abordons séparément ces différents aspects, c'est pour permettre une réflexion plus claire et plus pratique, sans oublier évidemment que l'homme ne se construit pas par morceaux, mais se développe *en même temps* dans la totalité de ses relations à l'intérieur de ces trois dimensions.

Nous verrons que s'il bloque ou néglige l'une ou l'autre, il se déséquilibre, se mutile ou s'anémie. Toute perturbation dans son développement est, à un endroit ou un autre, un échec de la relation.

Première partie

L'HOMME ET SA DIMENSION INTÉRIEURE

Les structures intérieures de l'homme

– Que tu sois jeune ou vieux, tu dis quelquefois : « En fait, je ne me connais pas ». C'est vrai en partie, et ce n'est pas étonnant. L'homme ne connaît pas l'homme. Il progresse seulement dans la connaissance de lui-même, individuellement et collectivement.

– Des savants s'emploient à étudier l'homme sous tous ses aspects. Mais rassure-toi, tu peux vivre sans être un spécialiste en anatomie, en psychologie, en sociologie, etc.

Il te faut cependant connaître d'abord l'essentiel des « structures » de ton être. Cette connaissance est indispensable pour comprendre ensuite les grandes lois de ton « fonctionnement ». Certains ne connaissent pas ces structures, les oublient, ou ne les mettent pas en œuvre, ce qui gêne gravement leur développement personnel, celui de leur couple, comme leurs relations avec les autres ... sans oublier leur relation avec Dieu s'ils croient en Lui.

Les trois étages

– Dès maintenant, disons en simplifiant :

L'homme est à trois étages : CORPS, CŒUR, ESPRIT.

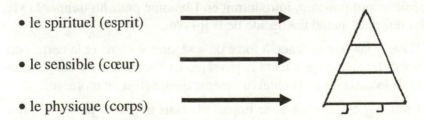

- le spirituel (esprit)

- le sensible (cœur)

- le physique (corps)

Le spirituel (qu'il ne faut pas confondre avec le surnaturel dont nous parlerons plus tard) : c'est-à-dire toutes les facultés de l'esprit : l'intelligence, l'imagination, la mémoire ...

Le sensible (la « sensibilité », ou « affectivité ») : c'est-à-dire le « pouvoir d'émotion » que nous avons en face de la beauté de la nature, devant une œuvre artistique, un visage ... mais aussi devant la souffrance ou la joie des autres ...

Le physique : toutes les énergies du corps, y compris les forces physiques sexuelles ...

– Les différents « étages » en l'homme, sont à ce point réels qu'ils sont signifiés sur notre corps ; spécialement sur notre visage, nos mains ..., et même au-delà, dans notre mouvement, notre marche ; plus loin encore, à travers ce qui sort de nous : notre écriture, nos dessins. En effet, les forces spirituelles et affectives nous modèlent de l'intérieur et orientent nos comportements extérieurs.

On dit que l'homme a « le visage de son âme » – c'est-à-dire de sa partie spirituelle – mais il a aussi le visage de son étage sensible. C'est pourquoi un regard attentif et aimant, comme celui d'une maman sur son enfant, mais aussi un regard de « spécialiste », peut lire, à travers les signes extérieurs qui les révèlent, les grandes lignes de la « structure » d'une personne, comme les phases les plus importantes de son développement.

– En l'homme, les étages ne sont pas superposés comme ceux d'une fusée. Non seulement ils communiquent et réagissent les uns sur les autres, mais ils sont *les uns dans les autres*.

On dit en effet également que : « l'âme est dans le corps ». Mais elle ne l'est pas comme une pile dans un automate ; pile qu'un Dieu-ingénieur-tout-puissant, introduirait en l'homme pour lui donner la vie, et lui retirerait quand il a décidé de la lui ôter.

Dans le langage courant, à force de « séparer » l'âme et le corps pour mieux distinguer le spirituel et le physique en l'homme, on a dangereusement disloqué celui-ci, le réduisant même quelquefois en morceaux.

Le mot « étage » est donc imparfait, mais très utile pour comprendre les structures de base de l'homme, comme le fonctionnement ou le disfonctionnement de ses forces. Gardons-le donc, mais disons, et *sans jamais l'oublier*, que si l'homme est à trois étages, il l'est (ou devrait l'être) *dans l'unité d'une seule personne*.

C'est dans cette unité, dans les grands bras du « je » que se construit l'homme authentique.

– D'une façon générale, les hommes sont attentifs à leur étage physique et spirituel. Certains mêmes en sont obsédés :

• Leur corps les préoccupent. Ils en sont heureux ou malheureux. En tout cas, ils pensent à le développer. Quand il est malade, ils s'inquiètent et le soignent.

• Leur esprit également revêt à leurs yeux une grande importance. Les parents, par exemple, « poussent » leurs enfants à « faire des études » ...

Par contre, peu nombreux sont ceux qui se soucient – pour eux-mêmes ou pour ceux dont ils ont la charge (éducation) – de leur étage sensible. Il est le parent pauvre de la construction de l'homme. Son équilibre en est perturbé, car le niveau sensible est à l'intérieur de celui-ci *la charnière indispensable* des deux autres. S'il est déficient il y a déséquilibre et quelquefois rupture. Nous le verrons dans le chapitre « Construction de l'homme intérieur ».

L'étage sensible insuffisamment développé

– En effet, l'étage du sensible est lié au corps. Ce sont nos sens (nos yeux, notre toucher ...) qui, grâce aux terminaisons nerveuses, entrent en contact avec les choses, les êtres, etc., les « captent » pour transmettre leurs « impressions » à tout notre corps (nous tremblons, nous rougissons ...), mais il est aussi lié à notre esprit (nous disons : « c'est beau » ; « il m'est sympathique » ...).

Est plus « sensible » celui dont les sens, comme des postes récepteurs ultra-performants, captent jusqu'aux plus petites ondes.

L'étage sensible charnière entre le physique et le spirituel

Est plus sensible celui qui les recevant est davantage « impression-né » soit « physiquement » (« mon sang n'a fait qu'un tour » ; « j'en ai mal au ventre » ...), soit spirituellement (« je suis inondé de joie » ; « envahi de tristesse » ...).

Si tu veux bien te construire, il te faudra prendre grand soin de ton étage sensible.

* * *

– C'est l'importance de chaque étage en l'homme, qui constitue *son tempérament* :

- Chez certains, le spirituel domine (les cérébraux)
- Chez d'autres, le sensible (les affectifs)
- Chez d'autres enfin, le physique.

Tu ne peux remettre en cause tes structures. Elles te sont données telles quelles, en même temps que la vie. Mais si tu ne peux pas les modifier en profondeur, tu peux agir sur les forces vitales qui s'expriment à travers elles. Si tu es loyal, tu ne pourras donc jamais dire, pour excuser tel ou tel comportement regrettable : « Ce n'est pas de ma faute ... c'est mon tempérament ».

– Certains hommes sont comme des ouvriers qui veulent bâtir leur maison. Ils sont, assis devant leur tas de briques, de pierres, et de bois, inoccupés, insatisfaits et quelquefois révoltés car :

- L'un d'eux regrette d'avoir beaucoup de bois et peu de pierres. Or, il désirait construire une maison basse, solidement enracinée en bord de mer !

- Un autre se plaint d'avoir beaucoup de pierres et peu de bois. Il rêvait d'un chalet perché sur la montagne !

- Un autre enfin voulait une grande maison à plusieurs étages, construite en belles briques ... et il n'en a que quelques-unes ... !

Tu peux, toi aussi, être assis devant tes richesses, regrettant d'avoir trop de « sensible », pas assez de physique ; trop de ceci, pas assez de cela ; enviant souvent ce que possède l'autre, sans t'apercevoir qu'au même moment celui-ci désire ce que toi tu rejettes.

Tu perds alors beaucoup de temps. Et ta construction « reste en plan ».

– En effet, tout homme, quel qu'il soit, riche ou pauvre, à tel ou tel de ses étages, même s'il se croit handicapé, même s'il l'est réellement, peut, à partir de son potentiel, bâtir l'homme qu'il doit devenir. En lui, nous le verrons, la force vitale peut vaincre tous les obstacles.

Cesse donc d'envier les richesses des autres, on ne se construit pas avec des manques.

Au contraire, reconnais et accepte ton « capital ». *L'important n'est pas ce que tu possèdes, mais ce que tu en fais.*

– Il ne suffit pas que tu reconnaisses et acceptes ce que tu as, il faut également t'en réjouir. Tu dois *t'aimer toi-même* sous peine de te traîner une vie entière, perpétuel insatisfait, te supportant « à contre-cœur », et te mettant ainsi dans l'incapacité d'aimer les autres.

Jésus a demandé à ses disciples d'aimer les autres « comme eux-mêmes ».

– Ce n'est pas être orgueilleux de reconnaître et d'aimer tes richesses, mais c'est l'être de croire que tu te les aies données à toi-même. Car tous les matériaux que tu possèdes pour te construire, tu les as reçus : de tes parents ; des parents de tes parents ... ; de tous les hommes ... ; de tout l'univers ... Et à travers ces dons successifs (quels que soient les tours et détours par lesquels ils te sont parvenus), au-delà, bien au-delà ... nous pensons, nous, qu'ils te viennent de Dieu, Source de toute vie. Heureux es-tu si tu le crois !

Alors, non seulement ne fais pas grise mine devant les cadeaux qui te sont offerts, non seulement sois heureux, mais *remercie*. Surtout n'oublie pas de remercier qui tu dois et qui tu crois devoir remercier.

* * *

– Tu possèdes deux jambes. Si tu n'en utilises qu'une, tu n'avances que difficilement, et finis par perdre l'équilibre.

• Tu possèdes deux bras. Si tu n'en développes qu'un, tu ne peux pas porter lourd.

• Tu es riche de trois étages. Si tu négliges l'un d'eux, tu ne pourras pas te tenir debout et marcher droit.

Être « équilibré », ce n'est pas avoir autant de forces vitales à chacun de ses étages, mais c'est parvenir à *se servir également de tous*.

– Beaucoup d'hommes en effet ont du mal à vivre correctement, simplement au point de départ, parce qu'ils n'utilisent pas leurs trois étages. Par exemple, dans la rencontre inter-personnelle :

Si tu te contentes seulement

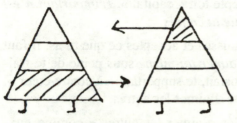

Déséquilibre dans l'appuie de l'autre

• de serrer la main de quelqu'un (ton corps)

• ou de ressentir de la sympathie pour quelqu'un (ton cœur)

• ou d'échanger des idées avec quelqu'un (ton esprit) tu n'établis pas avec lui une vraie « rencontre » d'homme à homme, mais un simple « contact » par un morceau de ton être. Et si, de plus, l'autre devant toi te « reçois » à un autre niveau que celui que tu mets en œuvre pour le rejoindre, alors non seulement il n'y a pas de rencontre, mais profond déséquilibre dans la relation. Et tu dis : « On est pas sur la même longueur d'ondes » ; « avec lui ça n'accroche pas » ; « on ne parle pas le même langage », etc.

– Quelques conséquences :

• de nombreuses personnes se cotoient journellement ... tout en souffrant de profonde solitude

• beaucoup se plaignent d'incompréhension. Ils sont difficilement, ou mal reçus, quand ils tentent de rejoindre les autres

• beaucoup ont quelques camarades, mais très peu d'amis, etc.

La *première* condition à remplir (il y en a d'autres, c'est évident) pour être un homme de communion, nourrissant pour tes frères, c'est d'aller au-devant d'eux, riche de tes trois étages. Alors tu seras étonné d'être souvent bien accueilli, même par ceux dont les portes sont apparemment solidement fermées[1].

– Ce qui est vrai de la rencontre inter-personnelle, l'est évidemment plus encore dans la vie du couple :

- Unir seulement deux corps, n'est pas se marier.
- Unir seulement deux cœurs, n'est pas se marier.
- Unir seulement deux esprits, n'est pas se marier.

« Qui veut jouer à l'ange (esprit) fait la bête (corps) » et qui pense qu'un sentiment très fort (cœur) suffit à unir solidement deux personnes, se trompe gravement.

On doit se marier à tous les étages de son être, sans en oublier ou en mépriser un seul. C'est pourquoi en face d'un couple en difficulté, avant d'entreprendre un effort de reconstruction, il est bon de suggérer aux intéressés de vérifier d'abord si leurs relations fonctionnent correctement à tous les niveaux. Ils se conditionnent et se fortifient l'un l'autre.

– Le développement de la vie de l'homme en société réclame, lui aussi, de tenir compte des trois étages comme de leur indispensable union. Une société qui s'organise seulement en fonction des besoins du corps, ou qui oublie les besoins affectifs ou spirituels de l'homme, est une société qui ne tiendra pas debout et ne permettra pas à ses membres de s'épanouir pleinement.

Nous le verrons dans la deuxième partie « L'homme et sa dimension horizontale ».

Si tu es chrétien, tu découvriras que :

– Tu es un homme en relation, parce que Dieu l'a désiré de toute éternité. Car il t'a fait, comme dit la Bible « à son image et à sa ressemblance ».

---

1. Certes, et nous le verrons également la « porte d'entrée » chez l'autre, peut se situer à l'un des différents étages. Mais pour qu'il y ait véritable rencontre, il est indispensable que, personnellement, tu te présentes *avec tout ton être* rassemblé et unifié.

Or, Dieu « est » relation. Il est Père – Fils – Esprit Saint ; trois personnes, tellement unies qu'elles ne font qu'UN.

L'homme, lui, n'est pas tout fait. Il est à faire. Il est un homme en voie de développement relationnel. Il doit *se faire par la relation*, dans ses trois dimensions : à l'intérieur de lui-même ; vers l'univers et tous ses frères ; vers Dieu.

– Si Dieu ne t'a pas créé tout fait, mais participant à ta propre création, c'est que par amour il t'a voulu libre. Libre pour nouer toutes les relations qui te feront « homme ». Libre pour en finir afin d'aimer à ton tour ... comme il t'aime.

Aimer l'autre, c'est vouloir qu'il soit libre pour aimer.

* * *

– Beaucoup d'hommes disions-nous perdent beaucoup de temps à regretter d'avoir ou de ne pas avoir tels ou tels matériaux pour se construire eux-mêmes. Or, tu as la chance, toi, de croire que *l'essentiel* de ce que tu as reçu et qui t'a été transmis par de multiples intermédiaires, te vient de Dieu.

• Si tu boudes ses cadeaux, tu Le contristes. Tu Le blesses.

• Et si vraiment tu souffres d'un manque (secondaire), crois de toutes tes forces qu'Il t'offrira les moyens de le combler. Il est impensable qu'il te les refuse, car il est Père infiniment aimant, et tu es son enfant infiniment aimé.

C'est pour cela que, plus qu'un autre, tu dois faire confiance : *tu possèdes ce qu'il te faut pour devenir le fils épanoui dont il rêve depuis toujours.*

Mais à toi de faire fructifier *tout* ton capital. C'est ta tâche d'homme libre, et ce sera sa gloire de Père de te voir réussi, dans toutes tes dimensions.

– Enfin, disons également ici, dès maintenant, que ta vie de relation avec le Seigneur n'échappe pas, elle non plus, à cette loi générale de base : aller vers Lui avec tout son être. Car se contenter :

• d'acquérir et d'entretenir de belles idées sur Dieu (esprit)

• ou d'éprouver de profondes émotions religieuses (cœur)

• ou de s'exprimer par de nombreux gestes, et s'entraîner à de multiples « postures » ... (corps)

n'est pas suffisant pour parvenir à une véritable vie d'union *équilibrée* avec Lui.

C'est *l'homme complet* qui doit venir au-devant de Dieu, car il est venu au-devant de nous en son Fils, HOMME parfait.

C'est *l'homme complet* qui marche vers son achèvement : la résurrection. Et non seulement l'homme à son niveau « spirituel » (l'âme).

Le premier critère d'une authentique relation à Dieu est donc là aussi, l'engagement de tout l'homme, dans l'unité de sa personne.

* * *

Maintenant, avant d'aller plus loin, posons-nous ces questions :

• À quoi sert une installation électrique parfaitement montée, si le courant n'y passe pas ?

• À quoi servent des canaux soigneusement creusés et un système d'irrigation techniquement des plus sophistiqués, si l'eau n'y coule pas ?

• À quoi sert un corps parfaitement équilibré, si la vie le déserte ?

Ainsi, ce n'est-pas parce que tu as pris conscience de la réalité de tes différents étages, c'est-à-dire de ta structure ; ce n'est pas parce que tu les acceptes sans aucune réticence, que tu désires les respecter, les développer et vivre pleinement, en les mettant en œuvre, que tu es construit. Tout reste à faire. Et d'abord, accueillir la vie qui les anime.

C'est à cette démarche que nous allons maintenant nous consacrer sans oublier, redisons-le encore, que s'il faut pour bien comprendre l'homme, distinguer ses différents éléments et fonctions, c'est dans l'unité d'une seule personne que celui-ci se développe et devient « lui ».

Les forces vitales
qui animent l'homme et leur devenir

– Tu es vivant ! Tu es habité par la vie. Et parce que la vie circule en toi, tu marches, tu ressens, tu penses ...

De même que tu n'es pas un homme en plusieurs morceaux – corps, cœur, esprit – tu n'es pas animé par plusieurs vies qui chevauchent les unes sur les autres, et se développent les unes sans les autres, mais par *une seule vie*.

Il est vrai cependant, que cette vie s'exprime et s'épanouit sous des formes différentes, aux trois niveaux de ton être. Ce sont tes trois grandes forces :

- forces vitales physiques
- forces vitales sensibles
- forces vitales spirituelles

Ta construction d'homme, nous le verrons, se fera au fur et à mesure que tu auras « intégré » toutes ces forces, et noué solidement les relations entre tes différents étages, permettant ainsi à la vie de circuler et d'unifier tout ton être.

La vie nous est donnée

– Nous avons dit précédemment que tu as reçu les matériaux nécessaires pour structurer l'homme que tu dois devenir. De la même façon, *tu as reçu* la vie qui les anime.

En effet, nul homme ne se donne la vie à lui-même. Elle lui est transmise. Gratuitement. Et sans qu'il l'ait sollicitée.

L'adolescent, s'en plaint un jour ou l'autre. Quelquefois se révolte : « Je n'ai pas demandé à vivre, dit-il ! » En effet, on lui a imposé la vie. Il ne l'a pas choisie. Il ne veut pas qu'on prenne prétexte de cette vie donnée, afin d'obtenir de lui de la reconnaissance, et surtout des efforts pour l'utiliser selon des critères que lui dictent ses parents et les adultes qui l'entourent. Il veut être libre et se servir de cette vie comme bon lui semble. Et qu'on ne l'accuse pas de mal gérer, ce soi-disant cadeau qu'il n'a pas demandé !

– *L'adolescent*, est en effet un petit d'homme qui hésite encore, par principe ou dans la pratique, à décider s'il va oui ou non accepter la vie qu'il a reçue, et commencer à poser *lui- même*, *pour lui-même*, les premières pierres de sa construction.

– *L'adulte*, au contraire est :

• un homme qui accueille la vie sans réticence, et accepte de la prendre personnellement en charge

• un homme qui tente, peu à peu, de la faire sienne, alors qu'elle ne vient pas de lui

• un homme qui désire enfin, nous le verrons, la transmettre à son tour. Gratuitement.

– Certains hommes demeurent des adolescents. Longtemps ou toujours. Ils vivent, car il faut bien vivre. Ils traînent leur vie, ou plus grave encore, se laissent traîner par elle. À certains moments ils la subissent à contrecœur. À d'autres ils cherchent, et à n'importe quel prix, à cueillir au passage tous les petits bonheurs qu'elle procure. Pourtant, à part quelques malades souffrant à l'extrême, et qui supplient qu'on leur ôte cette vie « en douceur », nul ne voudrait qu'on la leur supprime.

Mais toi, si tu veux devenir un homme debout, de la même façon que tu dois accepter tes « structures », commence par *accepter inconditionnellement ta vie*, et décide d'en prendre la responsabilité. Ne sois pas un éternel adolescent qui perpétuellement la regrette ou la supporte. Tu raterais ta vie d'adulte.

L'accueillir

• Tu peux accepter la vie qui te vient « d'ailleurs » sans savoir d'où elle vient.

Ainsi vivent ceux qui ne croient en ... rien, ou plutôt, croient que la vie leur est parvenue grâce à des milliards de hasards (!). Quelle foi !

• Tu peux « bien » vivre, sans savoir pourquoi tu vis.

Ainsi vivent ceux qui ignorent l'origine de la vie, mais pensent que celle-ci, malgré les difficultés rencontrées, vaut la peine d'être vécue ; qu'il faut la respecter, la défendre, tenter de l'épanouir, et la développer toujours plus, pour eux-mêmes et pour le bien de ceux qu'ils aiment.

• Tu peux vivre, enfin, en croyant qu'au-delà de tous les intermédiaires par lesquels cette vie te parvient, elle naît d'une Source éternellement jaillissante, et que cette Source est *QUELQU'UN* : Dieu – Père.

Si tu le crois tu te libères de cette double angoisse existentielle dont souffrent beaucoup d'hommes – et peut-être *tous inconsciemment* tant qu'ils n'ont pas trouvé – : l'angoisse d'être « nés de père inconnu » et l'angoisse de vivre sans savoir pour quoi ils vivent[2].

* * *

La positivité de la vie

– L'eau du fleuve qui coule à travers les rives qui lui sont offertes :

• peut irriguer les champs et les faire fructifier,

• mais elle peut inonder les villes et détruire les maisons,

• elle peut également charrier les multiples déchets qu'on y a jeté, et rendre malade la terre et les hommes.

---

2. Quant à nous, nous croyons que l'homme ne peut pas s'achever pleinement, tant qu'il n'a pas découvert d'où lui vient la vie, où elle va et, pour en finir, qu'elle est sa raison « d'être ». C'est pour cela que nous étudierons spécialement dans la dernière partie de ce livre, ce que nous appelons sa « dimension verticale ».

Et pourtant, *cette eau est pure et belle en sa source*. Ce sont des éléments extérieurs à elle-même qui la rendent méchante, et capable d'engendrer la maladie ou la mort. Ainsi la vie.

– La vie, tu la regardes « couler » en toi, autour de toi. Tu dis de temps en temps : « elle est belle ». Plus souvent peut-être tu te plains des épreuves qu'elle t'impose. Tu te révoltes devant les immenses souffrances qu'elle génère dans la longue histoire humaine. Tu écoutes quelquefois les voix des noires sirènes qui te murmurent que « la vie est une vallée de larmes », qu'il faut se résigner à parcourir, à la poursuite d'un mystérieux paradis perdu et éternellement rêvé.

– Ne te trompe pas de cible. *N'accuse pas la vie*. Comme l'eau qui coule, elle n'est pas responsable. Elle est innocente.

Ce sont les canaux qu'elle parcourt en toi et dans tes frères ; ce sont les tours et les détours que nous lui imposons dans la nature que nous avons transformée, et la société que nous avons construite ; ce sont les obstacles que l'on dresse devant elle ... qui perturbent son cours, la polluent, la dispersent, l'arrêtent. Mais elle, la vie, quels que soient les éléments et les événements qui la briment, *elle est belle, pure et féconde en sa Source*.

– Ce qui est vrai de la vie en général est vrai de ta vie. Tu ne pourras rien construire de solide si tu ne lui fais pas confiance. Il te faut croire de toutes tes forces que cette vie qui te parvient du fond des temps après avoir accompli un long voyage à travers univers et terres humaines,

• même si par malheur tu ignores le nom de ceux qui dans un dernier geste te l'ont transmise,

• même si tu estimes que père et mère te l'ont donnée sans amour,

• même si tu penses que tu l'as reçue faible et détériorée,

• même si toi, tu l'as jusqu'à maintenant gaspillée, et abîmée,

cette vie, *ta vie,* tout au fond d'elle-même, elle aussi, *est belle.* Car au-delà de toutes ses impuretés, voire même de ses ordures, ta vie est riche de possibilités immenses (les croyants diront « infinies », nous le verrons plus loin), elle porte en elle toutes les fleurs et les fruits que tu es appelé à produire.

– Car c'est un fait, tes forces vitales, à tous les étages de ton être, sont en elles-mêmes :

• des *forces d'expansion*. Elles sont en ton corps, ton cœur et ton esprit, sève vivifiante qui pousse à développer en toi l'homme dans toutes ses dimensions.

• des *forces d'union*, qui brûlent du désir de rencontrer d'autres corps, d'autres cœurs, d'autres esprits pour s'unir à eux et s'agrandir.

• des *forces de création*, car elles possèdent en elles-mêmes le pouvoir mystérieux de faire naître des vies nouvelles à partir de la vie reçue.

* *

– *L'animal* possède lui aussi des « forces vitales » douées des mêmes puissances d'expansion, d'union et de création. Mais c'est en lui l'instinct, qui *règle automatiquement leurs usages*. Il se nourrit, grandit, s'accouple, engendre sans le « savoir ». Il devient celui qu'il doit devenir, sans le choisir et le vouloir.

Quant à *l'homme*, c'est depuis ce jour, où animal se redressant, il « sut » enfin qu'il existait, qu'il commença sa longue marche vers la prise de conscience et l'exercice de son pouvoir sur la vie, en lui et en dehors de lui. Désormais il ne la subira plus totalement. Il en deviendra peu à peu le maître. Et pour dominer la nature chaque jour davantage, s'efforcera de devenir de plus en plus puissant, surpuissant, rêvant même de devenir ... dieu.

– C'est le chemin que collectivement les hommes ont parcouru dans l'histoire de l'humanité et que chacun individuellement doit parcourir dans sa propre histoire :

• de l'inconscient au conscient : *conscientisation*
• de l'animal à l'homme : *humanisation*
• de l'homme à la personne : *personnalisation*

27

• Et signalons dans la foi du chrétien, l'ultime étape, réalisation du rêve originel de l'homme : *sa divinisation*, par la rencontre de Dieu venu au-devant de lui en Jésus Christ.

– Ce chemin, les hommes continuent donc de le parcourir, rencontrant des victoires et des échecs mais en définitive, gagnant en pouvoir sur l'univers et sur la vie elle-même ... D'où la tentation perpétuellement renouvelée de se croire « suffisant », capable seul de devenir dieu.

La route demeure ouverte. Le parcours n'est pas terminé. L'homme n'est pas achevé. Jusqu'où le mènera son développement ? Nous l'ignorons.

– Mais toi, redisons-le ; à partir de cette vie qui te parvient, à partir de ces forces vitales qui jaillissent à travers tes « étages », tu peux à ton tour et à ta place :

• t'humaniser toujours plus en accueillant et en dirigeant tes forces

• te personnaliser toujours plus en les assumant et en les orientant

• et si tu es croyant en Jésus Christ, te diviniser toujours plus en t'unissant à Lui.

Mais tu es également capable de régresser en humanisation, en personnalisation, en divinisation, et à la limite, à certains moments, de te ré-animaliser seul ou en groupe, en société.

Tu es libre. À toi de choisir dans quel sens tu désires te construire et ce que tu décides pour tenter d'y parvenir.

***

Les chrétiens croient

– Les chrétiens croient que la vie n'est pas un fleuve sans source, mais qu'à l'origine de toute vie il y a DIEU-PÈRE : AMOUR infini.

Tu es vivant non pas « par hasard », mais parce que tu es aimé de Dieu. Aimer c'est toujours donner la vie à un autre. Être aimé, c'est toujours recevoir la vie d'un autre. Si Dieu arrêtait de t'aimer, tu arrêterais « d'être ». Or, Dieu ne peut pas arrêter de t'aimer, et donc de te donner la vie, parce qu'Il est « AMOUR » et qu'Il aime INFINI-MENT.

Tu es aimé pour toujours. Tu es vivant pour toujours[3].

– Puisqu'elle est don de Dieu, ta vie, *en sa source,* ne peut être que *belle et pure.* Elle l'était hier. Elle l'est aujourd'hui et le sera demain. Car c'est chaque jour que Dieu te la donne, quel que soit celui que tu es et quel que soit ton comportement. Tu es donc riche, infiniment plus riche que tu ne le penses et que tu ne peux l'imaginer.

– Rien ne peut résister au développement et à l'épanouissement de la vie en toi et hors de toi, puisque cette vie est le fruit perpétuel de l'amour de Dieu pour toi. Rien ... sauf ta liberté. Elle est l'unique frontière que Dieu ne peut franchir, sans ton consentement et ta participation.

– Tu es libre de recevoir, de développer le mieux possible, et de transmettre la vie comme il te plaira. Mais tu peux aussi gâcher cette vie, la détourner complètement de son but : Dieu, lui, continuera de te la donner *belle et pure* en son origine, même si tu l'emploies contre toi, contre tes frères et contre Lui. Mais alors il en souffrira. Il en sera « crucifié ». C'est cela sa vraie passion. Passion d'amour, passion de souffrance de nous voir souffrir parce que nous gaspillons ou dénaturons cette vie faite pour s'épanouir jusqu'en éternité.

– Cependant l'amour du Père pour nous est tel que lorsque nous nous mettons dans cette situation, non seulement il ne cesse pas de « susciter » la vie en nous, mais par son Fils Jésus Christ, il nous re-

---

3. Signalons rapidement ici, pour montrer que nous ne l'oublions pas – mais nous en parlerons dans la dernière partie de ce livre – que la vie que nous recevons de Dieu est elle aussi d'une certaine façon « à plusieurs étages ». On l'appelle « vie naturelle » et « vie sur-naturelle ». Pour en parler nous sommes obligés de distinguer, mais il est évident qu'il n'y a pas en nous une partie de notre être qui en grandissant « s' humanise », et une autre qui se « divinise ». C'est dans l'unité d'une seule personne que l'homme se développe. Avant même que nous soyons vivants sur cette terre, Dieu-Père rêvait à chacun d'entre nous et nous voyait « tout entier », fils en son Fils Jésus Christ (cf. saint-Paul aux Éphésiens : I - 4 et 5).

donne purifiée celle que nous avons polluée et même la « re-suscite » si, pleinement libres, nous sommes parvenus à la faire mourir (... de vraie mort, c'est-à-dire à cesser d'aimer).

En Dieu la vie ne peut pas mourir parce que en Lui l'amour ne peut pas cesser de se répandre. Si tu t'unis à Dieu, tu vivras éternellement. Jésus a dit : « Celui qui croit en moi ne mourra jamais ».

– Une fois encore nous anticipons par ces réflexions, sur la dernière partie de cet ouvrage : la relation verticale de l'homme, vers Dieu. Si nous le faisons, c'est pour justifier l'attitude de base sans laquelle tu ne peux sérieusement envisager la construction de l'homme en toi ou dans les autres (éducation) ; à savoir : *une confiance inconditionnelle en la vie*[4].

– Il reste qu'il ne faut pas que tu sois aveugle ou naïf. Au contraire, sois franchement conscient de tes manques et de l'affreux gâchis de vie, en toi, autour de toi, dans le monde. Mais ne t'attarde pas à gémir en contemplant les sources polluées ou taries. Comme la foreuse creuse pour atteindre l'eau pure, au-delà de la boue ou des marécages de surface, des couches de pierres accumulées, des déchets enterrés, creuse profond en ton cœur pour parvenir à ce lieu mystérieux où jaillit ta vie sous le souffle d'amour du Père. Il suffit d'un moment de recueillement, ne serait-ce que quelques instants. Alors, branche-toi sur cette Source et tu pourras, riche de vie, entreprendre ta propre construction.

* * *

Et maintenant :

• après avoir repéré les différents « étages » des structures de l'homme, et l'importance respective qu'elles prennent en chacun d'entre nous (ce qui constitue notre tempérament)

• après avoir réfléchi sur *la vie* qui les traverse et les anime en force vitale physique, affective, spirituelle

---

4. Pour le chrétien, cette confiance est établie et renforce à la mesure de sa foi. Le non-croyant lui, peut honnêtement s'appuyer sur toutes les recherches de la psychologie dynamique moderne, sur la « positivité » du développement humain.

• après avoir noté que cette vie porte en elle-même « naturelle-ment » une mystérieuse puissance de développement et de fécondité, il faut aborder concrètement la construction de l'homme que nous voulons devenir, puisque, contrairement à la plante et l'animal, nous avons le pouvoir – à partir des matériaux et de la vie qui nous sont offerts – de travailler à notre propre création.

– Nous réfléchirons donc maintenant sur ce que nous avons appelé la dimension intérieure de l'homme, et dans cette dimension sur les relations de ses trois étages dans l'unité d'une seule personne.

Nous constaterons alors que l'homme doit être intégré et unifié, mais qu'il peut être souvent dans la pratique :

• défoulé ;
• refoulé.

L'homme défoulé
et les conséquences du défoulement

Avant tout, sois rassuré nul homme, n'est entièrement et parfaitement construit, car :

• aucun n'a définitivement ordonné et mis en place les différents étages de son être.

• aucun n'est riche de toutes ses puissances de vie, c'est-à-dire capable de les engager dans chacun de ses actes librement choisis et exécutés.

• aucun ne peut affirmer qu'il n'a rien retenu (refoulé) de la vie qui lui parvient chaque jour, de l'univers, des autres, de Dieu.

... et plus tard nous le verrons, aucun homme n'est parfaitement en lien avec la nature, totalement uni à tous les autres hommes, et pour les croyants, à Dieu.

Il serait homme tout fait, alors qu'il est à faire.

* *

L'homme défoulé

– Pour réfléchir sur l'homme qui disperse ses forces et éclate, nous employons le terme « défoulé » ; d'une part, par opposition au terme « refoulé » utilisé dans les prochains chapitres ; et d'autre part, parce que les jeunes parlent souvent de la nécessité de se défouler, afin pensent-ils de pouvoir s'épanouir pleinement en vivant hors de toutes contraintes.

– Que deviendrait la matière si les atomes, et les protons dans l'atome, et le noyau de cet atome, éclataient et se désintégraient ?

Il n'y aurait plus de matière.

Que deviendrait l'arbre et sa sève, si les feuilles, les branches, les racines, se détachaient du tronc ?

Il n'y aurait plus d'arbre.

Que deviendrait physiquement l'homme, dont les mains, les pieds ... tous les membres, tenteraient de « vivre leur vie » sans être reliés entre eux ? Et que deviendrait-il, psychologiquement, si toutes ses puissances de vie n'étaient pas réunies dans sa personne. Son « je » ?

Les forces éclatent dans tous les sens

Il serait éclaté, atomisé. Il n'y aurait plus d'homme.

– Ainsi, *l'homme défoulé*, c'est celui dont une partie plus ou moins grande de ses forces vitales, se développent sans tenir compte des autres parties, échappant momentanément, ou définitivement, au contrôle de sa personne (son « je »).

Ses forces tirent chacune de leur côté, poussées par les désirs intérieurs (pulsions) ou attirées par les sollicitations extérieures. Elles le déforment, l'écartèlent, et nous le dirons, à la limite, peuvent le casser et le réduire en morceaux.

Certains hommes sont davantage dépendants de leur vitalité physique (leur corps)

Ils ne sont plus des « hommes debout ». Ils « marchent sur la tête ».

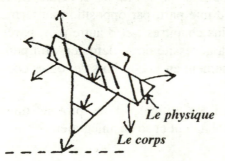

Le physique

Le corps

Ce n'est pas viable, car ils ne sont pas faits pour cela.

– L'homme marche sur la tête, lorsque ses forces physiques dominent sur ses autres forces. Elles commandent son comportement. Ce sont elles qui l'entraînent. « Il »est *obligé* de suivre.

– Le corps, c'est probable, n'a pas pris chez toi, toutes les rênes du pouvoir :

• Comme chez le drogué qui ne peut vivre sans sa drogue et qui est obligé de voler, de se battre, de se prostituer ... pour se la procurer.

• Comme le malade alcoolique qui est devenu totalement dépendant de son besoin d'alcool.

• Comme l'homme « esclave » de sa « maîtresse » et la femme de son amant, etc.

... Mais si tu t'observes loyalement, tu te surprendras plus d'une fois à « marcher momentanément sur la tête » :

• à cause de cette gourmandise, à laquelle tu ne peux pas résister ; cette sucrerie, cette cigarette ...

• à cause de cette lourdeur du corps qui le matin t'empêche de te lever, ou debout te refuse tout effort.

• à cause de cette sensation recherchée et goûtée sans autre but que de te satisfaire.

• à cause de ce plaisir sexuel voulu pour lui-même sans aucun lien avec un quelconque amour.

• à cause de cette violence physique qui éclate brutalement sans que tu l'aies contrôlée.

• à cause de ce jugement porté sur les autres et le type de relation entretenu avec eux, uniquement basé sur le « physique » des personnes sans tenir compte de leurs richesses de cœur et d'esprit. etc.

– Ne marche pas trop longtemps et trop habituellement sur la tête. Car si tu cèdes à tous les désirs de ton corps sans les contrôler et les orienter, ses exigences se feront de plus en plus tyranniques, et en toi l'étage du physique se développera anormalement au dépend des deux autres.

Ne t'étonne pas alors de constater :

• Que ta sensibilité s'émousse et qu'on dit de toi : il devient insensible.

• Que tes forces spirituelles perdent de leur acuité et que l'on constate : « que tu n'écoutes plus rien » ; « qu'on ne peut plus raisonner avec toi » ; « que tu ne penses plus « qu'à ça », etc.

Si tu marches sur la tête, hâte-toi de te remettre sur pied, car un corps, c'est lourd, il risque d'écraser ton cœur et ton esprit, et de te faire régresser dans ta montée vers l'humanisation de tes forces.

*
* *

Certains hommes sont davantage dépendants de leur vitalité affective (sensibilité)

C'est elle qui le plus souvent les tire en avant. Quand elle est euphorique elle les fait courir, parce que le cœur s'emballe ; au contraire elle les fait se replier sur eux-mêmes, quand elle s'effondre comme le ballon percé d'un enfant en pleurs. Ils sont alors « à plat ».

Ces hommes ne sont plus, eux aussi, des « hommes debout ». C'est leur sensibilité qui les « fait marcher ». Ils rampent à sa remorque.

– Tu n'es pas devenu irrémédiablement esclave de ta sensibilité, car elle ne paralyse pas ton esprit au point de t'empêcher définitivement de juger sainement les personnes, les événements, et d'agir librement, objectivement. Elle n'est pas en toi à ce point débridée que la puissance de son entraînement, échappant au contrôle de ta raison, te fait « perdre la tête ».

Mais souvent, avec plus ou moins d'intensité, elle agit sur toi et ton comportement.

– C'est ta sensibilité qui gouverne quand :

• Tu as le cafard et tu n'es plus capable de rien, parce qu'un reproche t'a blessé, un sourire ironique t'a peiné, une main s'est refusée ...

• Tu juges que cette personne a raison parce que tu l'aimes sensiblement, et que cette autre à tort parce qu'elle t'est antipathique.

• Tu n'as pas le courage de travailler parce qu'on ne remarque pas tes efforts, et que tu n'es pas admiré et félicité.

• Tu fais n'importe quoi pour telle personne parce que tu es attiré par elle, et tu te donnes à fond pour telle cause parce que tu as été ému par le spectacle d'une grande souffrance. Mais tu ignores les personnes « qui te laissent froid », et tu restes indifférent devant une misère extrême, parce qu'elle ne t'a pas « bouleversé », etc.

– Attention ! Comme celui qui tire sans cesse sur son pull-over, le déforme ;

Comme la rivière déborde et noie toutes les routes qui deviennent impraticables ;

Comme la lumière qui éclaire trop fort éblouit et empêche de voir ;

Ainsi ta sensibilité.

• Si tu tires sur elle et te laisse tirer par elle, elle te déformera.

• Si elle s'écoule en toi et déborde autour de toi, tu ne distingueras plus ton chemin.

• Si elle illumine trop fortement les choses, les événements, les personnes que tu rencontres, tu seras « aveuglé » et risqueras de tomber en marchant.

• Si elle faiblit et s'éteint, tu deviendras incapable d'agir alors qu'il le faudrait, dans la nuit comme dans la lumière.

Ainsi, si tu te traînes habituellement, tiré dans tous les sens par ta sensibilité, hâte-toi de te remettre debout. Sinon, tu ramperas à droite, à gauche, n'importe où, boussole folle, incapable de repérer et de suivre le chemin que te dicte ton intelligence et ta conscience.

*

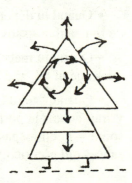

Certains hommes sont davantage dépendants de leur vitalité spirituelle (intelligence, imagination, mémoire ...)

Ces hommes sont de « grosses têtes » dans lesquelles l'intelligence suractivée, produit de riches idées et de savants raisonnements, qui s'articulent les uns les autres avec précision. Mais ceux-ci s'enroulent sur eux-mêmes, ou éclatent en belles paroles, conseils, solutions aux problèmes ... sans tenir compte de la connaissance du cœur, et des possibles réalisations concrètes du corps et de tout ce qui l'entoure.

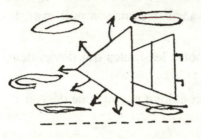

Ou bien ces hommes accueillent des impressions, produisent des idées, mais les transforment en rêves éthérés. Ils ne pensent plus, ils imaginent ... et planent hors du réel.

– Si en l'homme, l'étage du spirituel grandit démesurément et fonctionne sans liens étroits avec les autres étages, il déséquilibre dangereusement la personnalité. La sensibilité est écrasée. Étouffée elle ne peut plus nourrir la réflexion et s'exprimer elle-même librement. Le corps (et son extension) dont on n'a pas tenu compte, est incapable de transformer en action ce qu'a conçu l'esprit. L'homme « n'a plus la tête sur les deux épaules » !

Si l'homme devient penseur ou rêveur impénitent, il décolle progressivement de l'existence concrète. Il ne vit plus qu'une vie artificielle. Il se perd dans les nuages. Il plane.

Se contenter de penser ou de rêver sa vie, ce n'est pas la vivre.

– Tu n'es pas heureusement un homme à la tête définitivement hypertrophiée, mais quelquefois ta vitalité « cérébrale » se développe au détriment de l'équilibre de ta personne. Ainsi :

• Quand tu dépenses tout ton temps à la réflexion – même s'il s'agit de ton métier – sans en conserver un peu pour l'action.

• Quand tu mets au point des plans et des projets tellement sophistiqués que ni toi, ni d'autres, ne pourront les réaliser.

• Quand – tel un bibliothécaire qui amasserait des livres mais n'ouvrirait jamais la porte de sa bibliothèque et n'en donnerait la clef à personne – tu emmagasines pour ton seul plaisir, d'innombrables connaissances qui n'enrichiront que toi.

• Quand tu t'entraînes à maîtriser parfaitement la connaissance et la technique d'un art, et le mets en œuvre sans le nourrir de ta sensibilité.

• Quand pour résoudre des problèmes de vie, tu réfléchis de plus en plus profondément – seul ou avec d'autres – au point de croire que tout est fait, et que tu peux te reposer, quand tu as trouvé intellectuellement les solutions. etc.

– Tu n'es pas non plus heureusement un homme complètement détaché du réel, perpétuellement à la remorque de ton imagination débridée et de ta mémoire bourrée de souvenirs. Mais « tu planes » :

• Quand riche de soixante minutes de vie, tu en gaspilles trente ou cinquante à rêver, n'ayant que le reste à ta disposition pour faire ce que tu as à faire.

• Quand découragé devant les difficultés rencontrées sur ta route, tu te réfugies dans la rêverie pour tenter de vivre en pensée ce que tu ne peux pas vivre dans la réalité, et t'offrir en imagination les plaisirs que tu n'as pas pu ou que tu n'as pas osé, cueillir sur ton chemin.

• Quand tu rêves sans cesse de réaliser de grandes choses sans vérifier si tu pourras les accomplir, et où, quand, comment, avec qui ?

• Quand bien installé dans le grenier de ta mémoire tu regardes défiler les films d'événements passés pour t'en réjouir ou les regretter amèrement, te plaindre et souffrir de ta souffrance réactivée.

• Quand tu « imagines » ce que pense ou ressent l'autre, sans l'avoir interrogé, ou que lui-même ne te l'ai fait connaître.

• Quand de temps en temps tu finis par t'identifier au personnage que tu souhaiterais devenir, en oubliant la personne que tu es.
etc.

– C'est la grandeur de l'homme, de pouvoir « réfléchir » sur lui-même, sur les autres, sur l'histoire et le monde.

Mais pour penser sainement, tu as besoin de ton corps. Ne le méprise pas. Pour comprendre en profondeur tu as besoin de ton cœur. Ne l'empêche pas de s'exprimer. Si tu n'es qu'un « cérébral », tu seras comme un squelette sans chair. Or, ce n'est pas agréable de fréquenter un squelette !

– C'est la grandeur de l'homme de pouvoir « imaginer » ce qu'il veut devenir et ce qu'il veut construire.

Mais si tu ne fais que rêver à ce que tu désires être et vivre, tu ne seras que l'ombre de toi-même et bâtiras des « châteaux en Espagne » tandis que ta maison restera « en plan ». Or ce n'est pas enrichissant de rencontrer une ombre et difficile d'accueillir ses frères dans un château de rêve !

* * *

Les conséquences générales du défoulement

Les conséquences du défoulement sont nombreuses. Chemin faisant, nous en avons détaillé certaines. Nous ne signalerons maintenant que trois des plus importantes. Notre but étant, nous le répétons, de tracer un tableau d'ensemble de la construction de l'homme et du monde, et non pas d'entrer dans les détails au fur et à mesure de notre description.

Notons également que nous retrouverons ces conséquences dans l'autre défaut de construction de la personne, que nous avons appelé « refoulement ».

* * *

Appauvrissement de la vitalité, fatigue, et manque d'efficacité

– Si le tuyau d'arrosage de ton jardin est percé en beaucoup d'endroits, l'eau s'en échappera abondamment et il ne t'en restera que très peu pour arroser tes plantes.

• Si tu possèdes une puissante automobile dotée de cinq vitesses, mais que tu roules habituellement en n'utilisant que la première, tu n'avanceras que très lentement et ton moteur « chauffera ».

• Si tu laisses tes forces vitales s'échapper, n'importe où, n'importe quand, tu t'anémieras dangereusement. Tu perdras de plus en plus d'efficacité et t'épuiseras au moindre effort.

– C'est pourquoi tu constates souvent que tu es fatigué (physiquement et psychologiquement). Ce n'est pas étonnant. Beaucoup de tes forces se perdent, comme fleuves dans les sables, et tu n'en possèdes plus suffisamment pour faire ce que tu fais, porter ce que tu portes. Tu ne peux plus te mettre « tout entier » dans ton activité, ta rencontre des autres, ton amour, ta prière si tu es croyant.

• C'est aussi pourquoi tu te plains d'être « tendu ». Ce n'est pas étonnant. Comme les chevaux d'un attelage dont le conducteur ne tiendrait plus les guides, tes forces vitales s'échappent chacune de son côté. Elles te tirent dans tous les sens, te soumettant à une tension épuisante. De plus en plus « tendu », tu as alors de plus en plus besoin de « détente ».

• C'est enfin pourquoi tu t'inquiètes quelquefois car dis-tu « tu déprimes ». Ce n'est pas étonnant. La vie que tu as à vivre demeure la même, tandis que les forces qui restent à ta disposition s'amenuisent. Tu puises alors dans tes réserves. Tu demandes à tes nerfs l'influx vital qui te manque. Tu te « dopes » par tous les moyens possibles, et peut-être artificiellement. Attention ! Si tu mets trop la pression, viendra la dépression.

**

Perte progressive de la liberté au bénéfice de l'aliénation de la personne

– Nous l'avons déjà signalé, certains hommes pensent qu'ils sont définitivement « libérés » quand ils ont réussi à ce qu'aucun commandement, aucune règle, aucun « tabou » n'empêchent leur corps, leur cœur ou leur esprit de se réaliser comme ils le désirent, sans aucun contrôle de la personne. Ils font une grave erreur. Ils sont au contraire totalement « aliénés », parce que à la remorque, et quelquefois esclaves, de leurs puissances de vie. Ils régressent vers l'animalité. L'animal en effet est *entièrement dépendant* de ses instincts. Il est totalement *déterminé* par eux.

– Tu ne penses pas comme ces adeptes de la fausse libération de l'homme, mais toi aussi tu restreins ta liberté , et la perds peu à peu, quand tu te laisses guider et entraîner par tes forces vitales. Ce n'est plus toi qui commande chez toi.

La vraie liberté, par rapport à l'illusion de la liberté, c'est de devenir capable de conduire ses forces personnellement, et non d'être conduit par elles.

– L'homme ne naît pas libre. Il le devient peu à peu. Il doit conquérir sa liberté. C'est sa grandeur.

À toi donc de choisir entre l'humanisation et la personnalisation par la primauté de l'esprit et de la conscience, ou l'animalisation par la primauté de l'instinct.

– Tu seras un homme debout, si tu peux dire le plus souvent possible, en pleine vérité :

- « je » pense ceci, ou cela.
- « je » te serre la main ou « je » te donne un coup de poing.
- « je » n'apprécie pas cette musique ou « je » préfère ce tableau.
- « je » suis d'accord, ou « je » ne suis pas d'accord avec toi.
- « je » décide de faire telle chose ou de ne pas la faire.
- « je » t'aime, « je » t'embrasse, « je » t'étreins, etc.

Mais tu ne le pourras que dans la mesure où tu auras « pris en main », ton corps, ton cœur, ton esprit, et leur puissante et débordante vitalité.

– Au contraire, tu seras de moins en moins « homme » si tu dis de plus en plus :

- « je » suis obligé de penser ...
- « je » ne peux pas me retenir de ...
- « je » ne peux pas m'en passer ...
- « je » ne peux pas m'empêcher de ... etc.

Car alors ce sont tes forces vitales qui te mènent et non toi qui les accueille, les oriente et les utilise.

Écartèlement de l'homme

– L'homme défoulé avons-nous dit, voit ses forces vitales lui échapper. Il ne les contrôle plus. Au lieu de construire l'unité de la personne dans la richesse et l'harmonie de ses trois étages, il se désagrège, s'atomise.

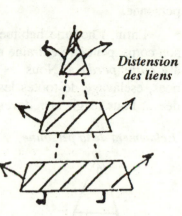

Distension des liens

En effet, les forces tirant chacune de son côté, distendent les différents niveaux, et quelquefois les détachent momentanément les uns des autres. L'homme est alors en morceaux. C'est son corps, son cœur ou son esprit qui s'exprime, agit, indépendamment des autres étages. Il n'y a plus de véritable activité « humaine ».

– Dans certains cas extrêmes, la coupure devient quasi totale. L'homme alors entre dans la folie. Car qu'est-ce que la schizophrénie, sinon l'état de celui dont l'esprit n'est plus relié, à l'intérieur de lui-même, aux autres niveaux de son être et à l'extérieur, au monde, aux autres hommes ... au réel en général.

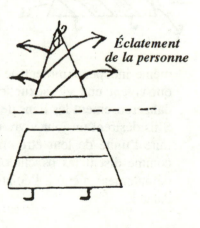

Éclatement de la personne

S'il s'agit d'un état permanent, on dit de l'homme : il a « perdu la tête ».

S'il s'agit d'un acte de « folie passagère », on dit : au moment des faits « il n'avait plus la tête à lui ». Il y a eu rupture momentanée des liens.

– Si l'homme peut « perdre la tête », il peut également à un moindre degré certes, mais tout aussi réel, agir à « *cœur perdu* ». C'est-à-dire, emporté irrésistiblement par une affectivité exacerbée, une passion sensible incontrôlée ... Il n'est plus alors « raisonnable » et devient donc imperméable à tout raisonnement. Il y a là aussi éclatement de la personne.

— Enfin, l'homme habituellement à la remorque des exigences de son corps, peut être entraîné peu à peu dans des attitudes et des actions à « *corps perdu* ». Nous les avons déjà signalées : violences déchaînées, esclavage de toutes les drogues, vie sexuelle totalement débridée ... Pour réagir et redevenir « maître de lui » il devra renouer les amarres rompues, avec le cœur et l'esprit.

Éclatement de la personne

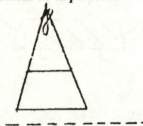
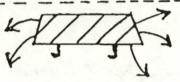

— Dans le domaine particulier de la sexualité « physique », le cas le plus dramatique est celui de la prostituée. Par habitude et par nécessité son corps est totalement détaché du reste de sa personne. Il doit pouvoir être donné à l'un et à l'autre, sans être retenu par aucune attache raisonnable ou affective. C'est une sorte de folie inversée.

Sans aller jusqu'à ces extrémités – et même indépendamment de toute morale – il est évident que ceux qui vivent une vie sexuelle habituellement vagabonde, distendent dangereusement les liens de leur corps avec leur esprit et leur cœur. S'ils désirent un jour vivre un authentique amour, il leur faudra refaire l'unité de leur être en « intégrant » leur sexualité physique, comme disent les psychologues. En attendant une fois de plus, le défoulement mène à l'éclatement de la personne. L'homme est en danger.

* * *

Voici donc tracé à grands traits ce qu'est l'*homme défoulé* et quelles sont pour lui les conséquences néfastes de ce défoulement.

Comme nous l'avons annoncé, nous stigmatiserons maintenant et souvent également d'une façon imagée, un autre défaut important qui handicape le développement et l'action de toute personne : *le refoulement*.

Nous pourrons alors dans le chapitre suivant, comprendre facilement – par déduction – ce qu'est un *homme intégré* et pleinement unifié.

L'homme refoulé
et les conséquences du refoulement

– Le train n'est pas fait pour retourner en gare immédiatement après son départ. Il doit rouler, pour conduire ses passagers à leur destination.

• Le fleuve n'est pas fait pour stagner. Il doit couler pour irriguer les terres et les fertiliser.

• La sève n'est pas faite pour s'immobiliser dans les racines de l'arbre. Elle doit se répandre dans les branches, pour qu'elles fleurissent et portent du fruit.

– Ainsi la vie. Elle n'est pas faite pour demeurer en l'homme, prisonnière. Enfermée. Elle doit sortir de lui vers les autres. C'est son mouvement naturel, comme celui du train de rouler, comme celui de la sève de se répandre.

La vie de l'homme lui vient d'ailleurs. Il l'a reçue. Il la reçoit. Il doit la transmettre. Pas n'importe comment (défoulement), mais, nous le verrons plus tard, humanisée, personnalisée, orientée.

Sinon, comme l'eau vive du fleuve pourrit peu à peu, quand immobilisée elle devient dormante, la vie se détériore quand l'homme la retient captive. C'est de la vie gâchée, avortée. Car toute vie doit engendrer la vie.

– L'homme *est refoulé* lorsque ses forces vitales qui, nous l'avons dit, sont à chaque étage des forces d'union, d'expansion, de création :

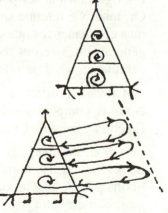

• ou bien, ont été bloquées en lui dans le passé, et paralysées sont devenues incapables de jaillir vers l'extérieur.

• ou bien, ont rencontré des obstacles dans leur expansion, refluent à l'intérieur et se cachent. Quelquefois jusque dans l'inconscient.

– Or la vie est tenace. Enfermée, nous le verrons, elle continue de vivre dans la nuit. Elle se transforme, comme plantes et bêtes dans une grotte obscure. Elle tourne et retourne sur elle-même, cherchant une issue de secours. *En l'homme, elle creuse* des cavernes, se nourrit de sa substance, véritable cancer qui ronge ses forces vives.

Il faudra apprendre à récupérer cette vie captive ; la purifier et la remettre dans le grand courant qui de l'homme va vers les autres hommes, vers le monde à bâtir, et pour le croyant, vers Dieu, Source et fin de toute vie.

*
* *

– Tu as peut-être remarqué que nous n'avons pas parlé de cette part plus ou moins importante de vie que l'homme tente de *retenir volontairement*, pour sa propre jouissance. Oubliant que cette vie lui a été donnée gratuitement, il s'en croit le propriétaire exclusif. Il entend en bénéficier au maximum, en en tirant tous les plaisirs possibles au niveau de son corps, de son cœur, de son esprit. Il *la garde donc pour lui*, la faisant fructifier à son compte.

– Cet homme qui use de sa vie et même détourne celle des autres à son unique profit, est un recéleur, voire un parasite, dans la mesure où il se nourrit de la part volée à ses frères.

Nous sommes tous, un jour ou l'autre, cet homme-là. Nous faisons alors un très mauvais calcul. Tentant d'arrêter la vie à nous-même, l'obligeant à stagner pour en jouir personnellement, nous la violentons. Or, toute vie retenue se venge. C'est pourquoi l'égoïste subira les mêmes conséquences que celles que nous noterons pour le refoulement en général. Elles seront même plus graves encore, puisqu'il s'agit d'une certaine façon, d'un refoulement *conscient et voulu*.

Croyant profiter de la vie uniquement pour lui, l'égoïste la tue. Nous le comprendrons au fur et à mesure de notre recherche sur le fonctionnement de l'homme.

– Mais ce n'est pas sur cette forme « morale » de refoulement que nous réfléchirons, nous voulions seulement signifier que nous ne l'oublions pas. À chacun de veiller à bien gérer la vie qu'il reçoit chaque jour. Elle est entre ses mains. Il en porte la responsabilité.

En revanche, il nous faut faire la clarté sur le refoulement *que nous subissons* ; découvrir le pourquoi de cette vie enfermée en nous – au point de départ très souvent malgré nous – pour pouvoir ensuite trouver le moyen de la libérer afin de la faire servir.

* * *

Le refoulement subi

– Comme tout le monde et quel que soit ton âge, tu as donc en toi, nous l'avons dit, de nombreuses richesses inemployées. Forces vives qui sont bloquées et que tu ne peux pas utiliser pour te développer, t'exprimer et agir comme tu le désires.

Souvent tu n'en es pas conscient, ou tu l'as été, mais tu n'y penses plus. Tu te résignes, et tu finis par conclure, en t'inventant de multiples excuses : je n'y peux rien ; je suis « comme ça » ; ce n'est pas de ma faute ; c'est mon caractère, mon tempérament, le résultat de mon éducation, etc.

Ainsi, concrètement, tu te dis, de temps en temps ou habituellement :

• Je ne peux pas parler ; ça « ne sort pas » ; ou, je n'en éprouve pas le besoin ... j'écoute les autres.

• J'ai beaucoup de chagrin, mais je suis incapable de le montrer et quelquefois, je parais indifférent.

• Je suis à certains moments pleinement heureux, mais je ne sais pas exprimer mon bonheur et l'on me croit insensible.

• J'aime beaucoup telles ou telles personnes, mais sans pouvoir le leur dire ou leur prodiguer quelques gestes d'amitié ou de tendresse. etc.

Ou bien, en ce qui concerne l'action, tu te dis également de temps en temps, à toi-même ou aux autres :

• Je n'arriverai jamais à ...
• Je suis nul en ...

- Je ne suis pas capable de ...
- Je n'éprouve aucun plaisir à ...
- Je ne goûte pas ceci, ou cela « me laisse froid ».

– Il est vrai que tu ne possèdes pas tous les dons ; que tu n'as pas la capacité et la vitalité nécessaires pour tout entreprendre, mais neuf fois sur dix, sur tous les plans, dans tous les ordres et toutes les circonstances, tu pourrais faire beaucoup plus que tu ne fais. Tu es toujours très en-deça de tes moyens de pensée, d'expression et d'action.

Or *les manques dont tu te plains ne sont que des possibilités rentrées.* Nous le redisons : les richesses – et les forces pour les déployer – sont en toi, mais beaucoup d'entre elles ont été refoulées, écrasées, de multiples façons.

- Si ton chien est battu, à chaque fois qu'il sort de sa niche, il y rentrera rapidement et n'en sortira plus.

- Si le cours d'eau qui chemine sous terre, se heurte à de nombreux rochers, il se détournera, et la source ne pourra jaillir.

- Si dans une épaisse forêt un petit arbre tente de pousser aux pieds des grands chênes, il ne pourra se développer, car ces derniers l'étoufferont en lui faisant de l'ombre.

Ainsi l'homme. Nous l'avons dit. C'est parce qu'il rencontre de nombreux obstacles de tous ordres que ses forces vitales au moment de s'exprimer et de porter leurs fruits, rebroussent chemin, se retournent, et rentrent en lui-même pour s'y réfugier, s'y cacher, s'enterrer.

– Ces obstacles sont d'importance et de formes très variées. Nous y avons tous été confrontés dans le passé, et ils se dressent aujourd'hui sur toutes nos routes quotidiennes. Ce sont des personnes, des lieux, des événements : les uns ou les autres, ou tous ensemble, mêlés. Ils atteignent davantage notre corps, notre cœur, notre esprit, sans que les frontières soient étanches. Nous nous y heurtons de façon différente suivant notre âge, notre solidité psychologique du moment ... et les chocs en sont « ressentis » plus ou moins intensément. Nous ne pouvons tous les détailler, les classer et les analyser. Citons-en seulement quelques-uns à partir de deux grands aspects particulièrement importants.

– *Il y a d'abord tout ce qui tourne autour de l'éducation que nous avons reçue.* Il est très éclairant de se remémorer cette éducation, de l'explorer et d'y réfléchir, pour mieux nous connaître nous-même, et pour être vigilant pour celle que nous donnons – ou que nous donnerons – à nos enfants, comme à tous ceux dans le développement desquels nous intervenons. Car, de même que l'absence de personnes attentives et aimantes, capables d'orienter toutes les vitalités de l'homme pendant son enfance peut conduire celui-ci aux défoulements les plus graves, au contraire la présence et l'action de certains éducateurs peuvent provoquer des « refoulements » qui dureront longtemps ; voire toujours. On dit : « J'ai été profondément bloqué par telle parole, tel geste, telle personne ... »

– La plante a souvent besoin de tuteurs pour la soutenir et la diriger, mais *d'abord* d'eau et de soleil pour la nourrir.

L'homme lui aussi, s'il réclame de l'aide pour orienter sa vie, a surtout et *d'abord* besoin pour grandir, de regards, de mots et de gestes « positifs ». Ceux-ci sont pour lui, rosée, lumière et chaleur qui le font s'épanouir pleinement. Sinon, il se renferme et dépérit, refoulant en lui la vie qui ne demandait qu'à fleurir.

– Observe-toi. Tu constateras que tu as été dans ton enfance, et souvent que tu demeures aujourd'hui, dépendant de ce que l'on appelle globalement « *le regard des autres sur toi* ».

Ce fut d'abord le regard (le vrai ou celui que tu as imaginé, interprété) de ton père, de ta mère, de tes frères et sœurs, des membres de ta famille, de tes camarades d'école, de tes professeurs, etc. Plus tard, ton époux, ton épouse, tes enfants, tes voisins, tes collègues de travail, tes chefs, les gens « de ton milieu », etc.

Et sous ces regards, toujours les mêmes questions en toi, exprimées ou non, mais lancinantes, tenaces : *Qu'est-ce que l'on pense de moi ?* Comment me juge-t-on ? Suis-je reconnu ? Considéré ? Apprécié ? Suis-je aimé ? ...

Si la réponse est positive, tu respires à pleins poumons et *oses être toi-même*, t'épanouissant au plein jour. Si la réponse est négative, tu tentes quelquefois hélas de te fabriquer un autre visage. C'est alors le

« regard des autres » qui te façonne artificiellement. Ou bien, plus grave encore, tu « rentres dans ta coquille » et tu « t'écrases ». De tout sens tu freines alors ou tu bloques ton développement. Tu « refoules » la vie.

• Ce que nous appelons « regard des autres » peut être en effet, à proprement parler, de vrais regards. Il y en a qui apaisent, rassurent, suscitent ; mais d'autres qui pèsent sur soi, étouffent, paralysent, et même tuent un peu de vie en l'autre. Ne dit-on pas : « fusiller quelqu'un du regard ! »

• Ce peut être aussi et souvent des mots. Il y a des paroles qui mettent en valeur, encouragent, remplissent de joie ; mais d'autres qui ironisent, se moquent, sèment le doute, blessent gravement, et tuent elles aussi.

• Ce peut être également des gestes. Certains soutiennent, réchauffent le cœur, pacifient ; d'autres troublent, répulsent, perturbent même à jamais, la saine expression de telle ou telle de tes forces vitales.

– Pour être plus explicite, prenons quelques exemples de mots et d'expressions, qui *trop souvent répétés* pendant l'enfance, ont pu bloquer partiellement l'épanouissement équilibré de la personne[1].

Au niveau de l'esprit :

– Les enfants posent de multiples questions. Ils ont besoin de réponses, non seulement pour enrichir leurs connaissances, mais pour construire leur personnalité.

Or on comprend l'énervement des adultes harcelés de « pourquoi », mais certaines réactions maladroites, violentes ou humiliantes sont autant de coups d'arrêt au développement de la vie « spirituelle » (au sens : facultés de l'esprit) des jeunes :

_____

1. Ces exemples ne sont pas inventés, mais recueillis de la bouche de jeunes qui en ont été plus ou moins « marqués ». Il ne s'agit évidemment pas de dramatiser, mais de stigmatiser une *attitude d'ensemble* particulièrement négative. Nous le verrons, la vie doit être toujours dirigée et orientée, mais jamais *étouffée*.

- « Ça suffit ! Tu m'ennuies avec tes questions ! »
- « Tu ne comprendras jamais rien ! »
- « Tu le sauras plus tard ... ce n'est pas de ton âge »
- « Tu es complètement "bouché" », etc., etc.

– Les enfants rêvent, imaginent, inventent. Ils sont artistes en puissance beaucoup plus qu'on ne le pense. Il faut certes guider leur envol, mais ne pas fracasser leurs ailes par des mots-obstacles, comme celles des oiseaux sur le pare-brise des voitures :

- « Où vas-tu chercher toutes les bêtises que tu racontes ! »
- « Qu'est-ce que c'est que ce gribouillis ? »
- « Tais-toi, tu chantes complètement faux. Tu vas faire fuir tout le monde »
- « Tu es fou. Tu as des visions », etc., etc.

Au niveau du cœur :

– Les enfants ont besoin de *savoir* et de *sentir* qu'ils sont aimés, inconditionnellement. Hors de cette certitude ils ne peuvent s'épanouir, car en eux naissent alors la peur et l'angoisse de n'avoir aucune valeur aux yeux des autres et peu à peu à leurs propres yeux.

Or, ceux qui les entourent, par maladresse ou incapacité (certains sont en effet eux-mêmes « bloqués ») ne savent pas toujours leur donner par des mots et des gestes, la nourriture de tendresse qui leur est nécessaire pour être rassasiés et rassurés :

- « Ça suffit ! Pousse-toi de là. Tu as passé l'âge des câlins ! »
- « Si ça continue, à quinze ans, il faudra encore aller te border dans ton lit »
- « Pleurniche pas comme ça tout le temps, sois un homme (!) »
- « Bas les pattes, va te laver, avant de m'embrasser, tu vas me salir », etc., etc.

Au niveau du corps :

– Physiquement, les enfants ont besoin « d'exercices » pour grandir. Il leur faut « se dépenser ». Là encore, s'il est nécessaire de canaliser leur vitalité, il ne s'agit pas de la briser :

- « Tiens-toi tranquille ! Arrête de te balancer sur ta chaise ! »
- « Ne cours pas si vite, tu vas tomber »
- « Laisse cela, c'est trop lourd pour toi »
- « Ne grimpe pas là-haut, tu vas te retrouver par terre », etc., etc.

– Ainsi dans leur cheminement ou leur brusque jaillissement hors de nous-mêmes nos forces vitales se sont souvent heurtées dans le passé (et sous d'autres formes aujourd'hui encore) à des « regards-obstacles », des « mots-obstacles », des « gestes- obstacles ». Ceux-ci, tels des barrages dressés devant elles, les ont fait refluer vers notre moi intérieur, comme l'eau d'un fleuve qui ne pouvant s'écouler naturellement, remonterait son cours et rejoindrait sa source.

– Il y a plus. Ces forces vitales étant l'expression de notre moi profond, c'est nous-mêmes qui sommes atteints quand celles-ci sont brusquement arrêtées dans leur développement. En effet, plus ou moins gravement blessées, elles gardent le souvenir douloureux des obstacles rencontrés, en inscrivant leurs marques dans notre mémoire physique, sensible et spirituelle. Autant de traces de blessures et de souvenirs *VIVANTS* qui, non seulement s'accumulent en nous, mais se développent, nous encombrent et alourdissent considérablement notre marche.

C'est donc le premier aspect du refoulement que nous voulions signaler : les forces bloquées refluant à l'intérieur de nous-mêmes, et d'une certaine façon enfermant avec elles, les obstacles auxquels elles se sont heurtées.

*
* *

– *Le deuxième aspect* n'est que l'autre face et le complément du premier : tout ce qui est « enfermé » en nous, immobilisant peu à peu beaucoup de nos forces, est en fait, tout ce que nous n'avons pas *assimilé* (nous dirons dans le chapitre suivant « intégré »), parce que, *au point de départ* nous ne l'avions pas *accepté*.

Ce sont globalement des « morceaux » de vie, plus ou moins importants, incrustés en nous, comme des corps étrangers dont nous ne pouvons nous libérer. Depuis les paroles, les gestes, etc ... qui nous ont perturbés et que nous avons précédemment stigmatisés, jusqu'à la multitude des événements, petits ou grands, que nous avons vécus, subis, ou auxquels nous avons simplement assisté, en passant par ce que nous sommes nous-mêmes et ce que nous refusons de nous, ou bien supportons « à contrecœur ».

– Classons et citons quelques-uns de ces « morceaux ou moments de vie » pour permettre à chacun de repérer ceux qui en lui font obstacles. C'est en effet le premier travail nécessaire de l'effort de ré-intégration de toutes nos forces vitales, que nous développerons plus loin.

– *Face à nous-même* :

• Ce peut être d'abord, *l'acceptation de sa propre existence*. Nous l'avons dit, un jour ou l'autre l'adolescent hésite ou proteste violemment : « je n'ai pas demandé à vivre ! ». Accepter sa vie, *telle qu'elle nous a été transmise*, est la première étape essentielle de la maturation de l'homme adulte. En effet, peut-il vivre épanoui, celui qui mobilise une grande partie de ses énergies à regretter, critiquer ou tenter de rejeter la vie qui lui a été donnée.

Il faut hélas signaler aujourd'hui, l'handicap tragique, et de plus en plus fréquent, dont souffrent certains jeunes qui, non seulement n'ont pas été désirés, mais au contraire longtemps refusés (refoulés), avant et après leur naissance.

• Ce peut être aussi, globalement et plus ou moins consciemment l'acceptation de sa féminité ou sa masculinité.

• Ce peut être plus partiellement, une particularité de son corps : trop petit, trop grand, trop gros, trop maigre ; ou quelques traits de son visage : le nez, la bouche, la couleur des cheveux, etc.

• Ce peut être l'absence ressentie, ou au contraire le débordement de telle ou telle faculté : je suis totalement insensible, ou trop sensible – Je manque d'imagination ou suis perpétuellement emporté par elle – Je suis submergé par ma vitalité physique et ne peut la contrôler, etc.

Certains traînent ainsi avec eux comme des boulets, nous l'avons déjà signalé, l'impossibilité d'accepter ce qu'ils ont reçu ou pas reçu ; ce qu'ils ont, ou qu'ils n'ont pas ; ce qu'ils sont ou qu'ils ne sont pas ... Ils dépensent ainsi beaucoup d'énergie à se « refouler » eux-mêmes.

– Face aux autres : la relation peut être difficile. Elle peut totalement échouer. L'autre devient alors obstacle dont on « supporte » la présence ou au contraire dont on refuse d'accepter l'absence.

• Ce peut-être dans sa famille : le père, la mère, les frères et sœurs ... que l'on a, ou que l'on a pas eus, ou que l'on a plus ; ce qu'ils sont ou ce qu'ils ne sont pas ...

• Ce peut être les adultes qui sont intervenus dans notre développement : professeurs, éducateurs ...

• Ce peut être les personnes rencontrées, hier, aujourd'hui : les camarades, les voisins, les collègues de travail, etc ... ; ou globalement son « milieu social »...

Que nous le voulions ou non, tous ceux que nous cotoyons quasiment en permanence, ou de temps en temps, ou tout à fait accidentellement, *entrent dans notre vie* plus ou moins profondément. S'ils ne sont pas au point de départ de la relation, acceptés tels qu'ils sont, ils deviennent en nous eux aussi, des « poids lourds » et même des parasites qui dans notre effort de rejet mobilisent une partie importante de nos énergies.

Nous y reviendrons longuement en réfléchissant sur notre dimension « horizontale », vers les autres.

– Face aux événements : notre vie est une suite « d'événements » qui d'une façon ou d'une autre nous influencent toujours. Ceux que nous avons vécus dans le passé, et qui nous ont heurtés sans que nous puissions les assumer pleinement, demeurent en nous comme des blessures jamais refermées, ou dans le meilleur des cas comme des cicatrices prêtes à se rouvrir à chaque instant.

Nous renonçons ici à donner des exemples, tellement sont nombreux, divers et personnels ces petits ou grands événements qui nous ont profondément marqués. Disons simplement qu'il nous faudra chacun courageusement faire peu à peu leur inventaire, les regarder en face, et même les déterrer si nous les avons enterrés, avant de tenter de les intégrer. Si nous y parvenons, au lieu d'être obstacles à notre développement, ils deviendront pour nous occasion de grandir.

– En conclusion, répétons-le encore :

Premièrement, tout homme chemine donc dans la vie en ayant emmagasiné au plus profond de lui-même – et malheureux continuant de le faire – une multitude de mots, de regards, de gestes, de personnes, d'événements ... qui l'encombrent, et retiennent captives une partie de ses forces vives – spirituelles, sensibles, physiques. – Ces forces ne sont plus disponibles pour le faire grandir, tant qu'il n'a pas réussi à *transformer en positif* ce qui s'est imposé à lui en négatif.

Deuxièmement, tout ce qui est ainsi enfermé, continue de vivre, de se développer en vase clos prenant quelquefois une importance énorme et se déformant totalement. Pire, cette vie séquestrée risque de pourrir, fermenter, empoisonner une existence entière.

Le développement de l'homme dépendra d'abord de la façon dont il se situera face à ces encombrants et vivants bagages.

*

Les conséquences générales du refoulement

Les conséquences du refoulement, nous l'avons dit, sont d'abord et en partie, les mêmes que celles du défoulement, elles s'y ajoutent : appauvrissement de la vitalité – et donc fatigue et manque d'efficacité ; perte de la liberté par l'aliénation progressive de la personne ... Mais il en est de plus spécifiques, qu'il faut relever et stigmatiser.

*

Incapacité plus ou moins grande – et sous certaines formes, quelquefois totales – *de s'exprimer.*

– Tout homme a besoin de s'exprimer. À tous les étages de son être. Expression sous toutes ses formes : parler, rire, pleurer, embrasser, agir, etc ... Si ces expressions n'ont pas trouvé le moyen de s'épanouir au fur et à mesure de la construction de la personne ; si elles ont rencontré des obstacles qui les ont arrêtées et blessées, elles perdent peu à peu, ou quelquefois brusquement, la capacité de le faire. L'homme « rentre dans sa coquille ». Il prend alors – et les autres prennent également – pour une incapacité *de nature*, ce qui n'est qu'un blocage *accidentel*, et pour conséquence, un défaut d'entraînement et d'expérience. Par exemple :

• On dit d'un homme, qu'*il est* timide, et lui-même le croit, alors qu'il n'est que paralysé par l'attitude, les réflexions ou le regard des autres ... et pour finir par son propre regard.

• On dit d'un homme, que toujours il se tait ; qu'il *est incapable* de parler. Et lui pense qu'il n'a rien à dire ; ou que ça n'intéressera personne ; ou qu'il voudrait dire, mais qu'il ne peut pas dire ... alors qu'il le pourrait, mais qu'il ne s'autorise pas à « prendre la parole », parce qu'il n'a pas été écouté, trop souvent ridiculisé, etc.

• On dit d'un homme, qu'il *ne peut pas* « exprimer ses sentiments » par des mots et des gestes. Et lui le croit. Et quelquefois se justifie : « c'est inutile » ; ou « ça ne se fait pas » ; ou « c'est une faiblesse ... » Alors que pour lui et pour les autres, il devrait « laisser parler son cœur ». Mais il a été trop souvent rejeté ou n'a pas reçu et appris la tendresse ...

• On dit d'un homme, qu'*il est* « gauche dans ses mouvements », « emprunté » ; « mal dans sa peau », ou artificiel et inattendu dans ses actions et réactions. C'est que l'on a dressé devant lui, et qu'il a lui-même accumulé, des barrages qui ont empêché sa vitalité physique de se développer à pleine vie, etc.

• Les hommes sont certes plus ou moins doués pour telle ou telle forme d'expression, mais tous, et sur tous les plans, ont *refoulé des capacités réelles*, auxquelles ils doivent croire, comme à la possibilité de les développer grandement. Aucun ne peut affirmer : « *je suis* incapable de ... ».

Il faudra libérer l'expression retenue captive. C'est tuer l'homme, que de l'empêcher ou s'empêcher soi-même, d'exprimer toutes ses vitalités.

Tensions et désharmonie intérieure

• Celui qui couvre presque entièrement un pot de fleurs condamne la plante à se développer à l'intérieur dans un enchevêtrement de racines, qui peut un jour faire éclater ce pot.

• Celui qui ferme soigneusement les portes de sa salle d'eau, mais laisse le robinet ouvert, entraîne l'inondation de la pièce. L'eau cherche alors une issue, s'insinue dans le plancher, les murs, et pourrit tout le mobilier.

Ainsi, la vie refoulée, même réfugiée dans l'inconscient, *continue de vivre*. Ne pouvant s'épanouir naturellement hors de l'homme, elle se développe anarchiquement en lui, provoquant un véritable travail de sape et de désharmonie, créant des gênes et des tensions d'autant plus épuisantes que le patient en ignore l'origine. D'où : repli sur soi, tristesse, dépression et sentiments divers : jalousie, regrets, vague culpabilité ...

La vie est faite pour le grand air. Trop longtemps enfermée, elle aussi se pourrit et pourrit tout.

* * *

« Négativation » des forces vitales et « vengeance » de ces forces.

• Les racines d'un arbre viennent toujours à bout des pierres qu'elles rencontrent. Elles les contournent ou les soulèvent, quelquefois même les font éclater.

• Le cours d'eau creuse sa route quels que soient les obstacles. Devant un terrain hostile il s'enterre pour réapparaître beaucoup plus loin, totalement inattendu. Et face à des rochers qui resserrent inexorablement son cours, la rivière semble se soumettre, mais se transforme quelquefois en torrent balayant tout sur son passage.

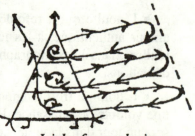

Ici, les forces physiques refoulées s'expriment par le sensible

Les forces vives de l'homme, sont à leurs différents étages des forces d'expan-

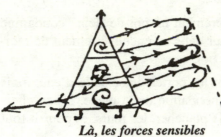

*Là, les forces sensibles
refoulées s'expriment
par le physique*

sion, d'union, de création. Elles aussi veulent « suivre leur cours » et se réaliser. Contrariées et meurtries elles cheminent mystérieusement en l'homme, acquièrent une nouvelle puissance et de temps en temps jaillissent furieusement à un autre niveau, ou se retournent et se vengent. De forces positives elles deviennent négatives s'exprimant sous des formes qui ne leur sont pas « naturelles ». Ainsi pêle-mêle :

• L'enfant traité durement et plus encore injustement, devient menteur, fait « ses coups en-dessous ». Battu il se vengera en battant à son tour.

• L'adolescent qui n'est pas accueilli, écouté, compris, se réfugie dans le rêve. Il se confie à un être imaginaire. Il lui parle. Plus tard il souffrira peut-être d'une réelle incapacité de communiquer.

• Le jeune frustré de tendresse, bloque son affectivité, qui se transforme quelquefois en sensualité débridée.

• L'homme qui n'a pu s'épanouir sainement dans la rencontre chaleureuse des autres, deviendra plus ou moins secret, hermétique, ou bien il ne pourra exprimer sa sympathie, son amitié, voire son affection, que par une ironie mordante ou une agressivité totalement inattendue.

• L'adulte qui a refoulé ses forces sexuelles sans parvenir par un amour authentique, à les intégrer dans sa personnalité, tentera de les réaliser dans la pornographie, quand ce n'est pas à travers de graves déviations.

• L'homme trop longtemps dépendant, écrasé, verra en lui grandir une volonté de puissance. Privé de lieux et de moyens d'action, il versera un jour dans la violence, etc., etc.

Observe-toi et observe les autres et dis-toi que la plupart des comportements anormaux viennent du refoulement de forces vitales.

Il ne s'agit pas alors de se contenter de condamner ces comportements et même de tenter de les rectifier à coup de volonté, mais *d'abord de déceler ce qui les a produits*. Les pierres identifiées et enlevées, le fleuve de vie reprendra son cours.

[*]

Le refoulement peut « rendre malade ».

– Il faut le répéter, la vie qui sans cesse jaillit de nous, et celle que nous recevons des choses des autres et des événements, fut-elle polluée, ne doit *jamais* stagner, enfermée au plus profond de notre être. Sinon, elle peut en effet, à proprement parler, aller jusqu'à nous « rendre malade physiquement ». Qui a dit très justement que « les mots enterrés se transforment en maux » ?

Les médecins de plus en plus le reconnaissent, diagnostiquant de nombreuses « maladies psychosomatiques ».

Les psychologues aident leurs patients à déceler et à prendre conscience de leurs blocages, pour les en libérer

Et depuis longtemps l'observation et le bon sens populaire de beaucoup, ont dans un langage imagé, stigmatisé les dégâts physiques consécutifs à tout ce qui perturbe le monde intérieur de l'homme :

- Vous savez, tout ça « le rend malade ».
- Rien que d'y penser « j'en ai mal au ventre ».
- Ça, je ne le digère pas,
- si vous saviez comme « je me fais du mauvais sang », ou « de la bile ».
- En face de lui, je suis « complètement paralysé ».
- Je n'en peux plus « j'en ai plein le dos » ; ou devant quelqu'un qui souffre : « il porte trop lourd celui-là ! », etc.

– La vie est précieuse. Nous avons besoin de toutes nos forces vitales pour nous épanouir. Il ne s'agit pas de laisser celles-ci se développer n'importe où, n'importe comment (défoulement), et pas davantage de les ignorer, les comprimer, ou tenter de les éliminer (refoulement), il nous faut apprendre à les récupérer et les orienter. Ce sera le thème de notre réflexion suivante : *l'homme intégré.*

L'homme intégré, unifié et les conséquences de l'intégration

À partir de ce que nous avons dit de l'homme défoulé, puis de l'homme refoulé, il est facile de déduire ce qu'est l'homme intégré et unifié.

Nous avons en effet constaté que nous sommes loin d'être en possession de toutes nos forces vitales. Beaucoup d'entre elles nous échappent, victimes du défoulement et du refoulement.

Pour développer l'homme que nous devons être il nous faut d'abord récupérer le maximum de nos puissances de vie, pour nous en enrichir, en les *intégrant* pleinement dans notre « personnalité ».

***

L'homme intégré, unifié

L'homme intégré

– L'homme intégré est en effet celui qui, prenant peu à peu le contrôle de toutes ses forces vitales, physiques, sensibles et spirituelles, les assume pleinement, en les faisant devenir siennes.

– Ces forces, nous l'avons dit, deviennent ainsi progressivement, au fur et à mesure de leur intégration :

• des *forces humanisées* : c'est-à-dire les forces d'un homme au lieu de forces animales,

• des *forces personnalisées* : c'est-à-dire les forces d'une personne unique, et non de n'importe quel homme,

• et pour les chrétiens, des *forces divinisées*, en devenant par la rencontre et l'union à Jésus Christ, forces d'un fils de Dieu.

L'homme intégré dans les grands bras du "je"

– C'est la personne, le « je », qui opère la synthèse et l'unité des forces vitales. Nous disons d'une façon imagée que celles-ci doivent être toutes « prises en mains » dans les grands bras du « je ».

– Rassure-toi, nous l'avons précisé dès le début de notre réflexion, ce n'est que peu à peu que nous deviendrons celui que nous devons devenir, riche du maximum de nos forces, car chaque jour une vie nouvelle nous parvient que nous devons accueillir et intégrer. Nous n'aurons donc jamais fini de nous construire et nous le verrons dans les chapitres suivants, de construire avec tous nos frères, l'humanité et l'univers. Nous l'avons dit et redit, nous ne sommes pas achevés et c'est notre grandeur de travailler à notre propre achèvement et à l'achèvement de l'homme en général.

* * *

Les conséquences de l'intégration

– Elles sont également faciles à comprendre, puisqu'elles s'inscrivent en positif, là où le défoulement et le refoulement enregistraient du négatif.

Disons globalement que l'homme récupérant le maximum de forces vitales perdues par le manque de contrôle de la personne, ou par les blocages intérieurs, devient capable de penser, sentir, agir, avec plus d'intensité. Là où il vivait à 20 %, il vit maintenant à 40, 50 % ou plus.

– Mais détaillons quelques conséquences particulières, en parallèle avec les handicaps que nous avons stigmatisés face au défoulement (pages 40-45), et au refoulement (pages 57-61) :

• *Efficacité accrue*. Avec davantage de forces, l'homme réalise plus de choses, tandis que diminuent la fatigue, la tension et leurs conséquences psychologiques et même physiques.

• *Libération progressive des différentes aliénations* de la personne. Cette dernière reprend le commandement des forces qui la menaient indépendamment d'elle, ou malgré elle. L'homme reconquiert ainsi sa liberté. Il se responsabilise et donc s'humanise et se personnalise. Il devient (ou re-devient) de plus en plus le sujet de son histoire. Alors qu'il disait, comme nous le signalions (page 42) :

« je » suis *obligé* de penser ...
« je » ne *peux pas* me retenir de ... etc.

Il peut dire maintenant en vérité :

« je » pense ...
« je » décide de faire telle chose ... etc.

• *Réunification de l'être profond*, tiraillé auparavant dans tous les sens par les exigences des désirs contraires et même quelquefois éclaté en morceaux. D'où la paix profonde qui s'installe peu à peu, là où se développaient un « mal être » et une sourde angoisse. Comme dit justement l'expression populaire, l'homme est alors « bien dans sa peau » ; c'est-à-dire bien dans sa tête, bien dans son cœur, bien dans son corps.

• *Réanimation de qualités barrées*, puis enfouies, voire même totalement écrasées. Et découvertes de nouvelles qualités dont l'homme ignorait totalement qu'il en possédait les racines.

• *Réapparition de certains souvenirs enterrés* et spécialement de blessures passées, qui courageusement mises à jour, puis assumées, peuvent enfin laisser jaillir la vie qu'elles retenaient captives. Cette vie redevient nourrissante pour l'homme, alors que polluée elle le « rendait malade ». Et les blessures intérieures se cicatrisent, entraînant quelquefois des guérisons du corps.

– Ainsi comme la sève de l'arbre, qui monte des racines vers le tronc, puis investit toutes les branches, leur faisant produire fleurs et fruits ; la vie en l'homme, accueillie ou récupérée, puis intégrée par sa personne et circulant à travers ses différents « étages », en même temps qu'elle les enrichit, *les unifie par l'intérieur*.

C'est alors *l'homme tout entier* qui s'exprime et donne son fruit, quand il s'engage à un niveau ou l'autre de son être et quelle que soit la forme de son expression : pensées, paroles, gestes, etc. Il n'y a plus un esprit, un cœur, un corps indifférenciés et agissant plus ou moins séparément, mais « un homme », qui est bien devenu, à la mesure de l'intégration de ses forces vitales, un homme à trois étages *dans l'unité d'une seule personne* (page 13).

– La construction d'un amour authentique est l'exemple le plus significatif de la nécessité pour l'homme d'intégrer le maximum de ses forces vitales dans l'unité de sa personne. Nul en effet ne peut réussir sa vie de couple, et d'une façon générale ne peut vraiment aimer, s'il ne travaille à cette intégration. Il est important de s'arrêter un moment pour y réfléchir.

• Dans un couple, l'amour entre les partenaires ne se réduit pas, loin de là, à leur attirance mutuelle, au niveau du corps, du cœur et de l'esprit. Cette émotion profonde n'est, au départ, que le signe d'un amour possible ; puis un soutien pour le réaliser si librement on a décidé d'entreprendre sa construction ; mais cette émotion si elle est saine et indispensable dans le couple, n'est pas *l'essence* de l'amour.

• L'amour est encore moins – est-ce utile de le dire – le désir de « prendre pour soi » son partenaire afin d'en tirer le maximum de plaisir. Ce serait aimer ... comme on aime la confiture : « Je l'aime (!) donc je la prends et la mange ». En fait, je la détruis. Et c'est moi que j'aime.

• Dans certains couples, homme et femme s'aiment comme on aime la confiture : « Tu me plais, j'ai envie de toi, je te prends ». Et vice versa. C'est la correspondance, et la cohabitation temporaire, de deux égoismes.

• Dans l'amour authentique, la démarche est inverse. Elle est essentiellement la rencontre de deux « personnes », certes attirées l'une vers l'autre, mais qui se découvrent et s'estiment au point de vouloir, de *toutes leurs forces*, se rendre mutuellement heureux, en *donnant à l'autre* le maximum de ce qu'ils peuvent donner pour le combler. À savoir, un peu de leur vie s'ils aiment un peu ; beaucoup s'ils aiment beaucoup et toute leur vie, ainsi qu'eux-mêmes, s'ils désirent tenter d'aimer totalement et pour toujours.

Comment le pourraient-ils s'ils ne possédaient pas – parce qu'ils ne l'ont pas intégrée – la vie qu'ils prétendent donner ? Et comment pourraient-ils « *se* donner » entièrement, quand ils expriment leur amour à un niveau ou à l'autre de leur être, sans avoir unifié et personnalisé cette vie ?

– Prenons l'exemple particulier de la relation sexuelle. Si les partenaires n'ont pas accompli le mieux possible cet effort d'unification et de personnification – et en l'occurrence de leur vitalité sexuelle – ils ne peuvent donner et recevoir qu'un corps indifférencié ; donc interchangeable. Dans l'autre cas, le corps qui est offert, est un corps *animé de cœur et d'esprit*. Le corps de « quelqu'un ». Il est alors devenu unique et irremplaçable.

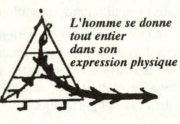

L'homme se donne tout entier dans son expression physique

– On comprend alors également, pourquoi et comment les célibataires – qu'ils soient consacrés (prêtres, religieux (ses) ou non – s'abstenant de relations sexuelles, peuvent eux aussi aimer totalement. Ils ne sont pas des anormaux incapables de donner leur corps, ou y renonçant volontairement. S'ils ont réussi au mieux l'intégration de toutes leurs forces vitales – c'est-à-dire s'ils sont devenus de véritables « hommes debout » – c'est *tout entiers* qu'ils se donnent dans une poignée de main, un baiser, telle ou telle action, etc ...

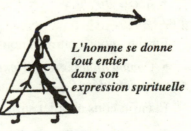

L'homme se donne tout entier dans son expression spirituelle

– Le vrai célibat positif ne mutile pas l'homme. Le célibataire pleinement responsable ne « sacrifie » pas ses forces physiques sexuelles et ses forces affectives, il les exprime et en fait don (dans l'amitié comme dans tous ses rapports interpersonnels) *à un autre niveau de son être.*

– L'authenticité et la profondeur d'un amour et d'une vie d'amour ne se mesurent pas à la réussite (!) de la relation sexuelle, mais à *la richesse de vie* (qualité et quantité), donnée à un autre ou aux autres, dans chacun de nos actes.

– On peut aimer très médiocrement – ou pas du tout – dans une relation sexuelle, tandis que l'on peut aimer totalement et parfaitement dans un seul regard, un seul geste, une seule parole.

Ajoutons pour les chrétiens, que ceux qui suivaient Jésus de Nazareth l'avaient compris, quand ils notaient : « Il *le regarda* et Il l'aima »[1] – « Dis seulement *une parole* et mon serviteur sera guéri »[2]. Jésus se mettait tout entier dans un seul regard, dans une seule parole ... Il était parfaitement intégré.

*
* *

Il serait logique maintenant de nous poser la question : *Comment, pratiquement*, intégrer et unifier toutes nos forces vitales ?

– Mais nous ne pourrons tenter d'y répondre valablement avant d'avoir répondu à celles-ci :

• *Accueillir la vie (et l'intégrer), oui, mais pour l'orienter dans quel sens ?*

Ensuite, nous pourrons nous demander :

• *Comment intégrer orienter, ou ré-orienter nos forces vitales si souvent défoulées ?*

Et enfin nous attarder sur l'importante question suivante :

• *Comment récupérer, pour les intégrer et les ré-orienter, nos forces refoulées ?*

---

1. Marc 10-21.
2. Matthieu 8-8.

Accueillir la vie, l'intégrer et l'orienter

Nous avons déjà réfléchi sur « les forces vitales qui animent l'homme et leur devenir » (chapitre 2, page 23). Il fallait le faire dès le début, pour mieux comprendre la nécessité de bien construire l'homme, sujet de ces forces. Mais il faut revenir sur certains aspects, pour les souligner avant d'en noter quelques autres

*
* *

Accueillir la vie

– Redisons d'abord cette vérité aussi incontournable qu'essentielle : *nul ne s'est donné, ou ne se donne la vie à lui-même*. Il ne faut jamais l'oublier !

Notre vie nous l'avons reçue. Elle vient de loin, de très loin. Du fond des temps, et – beaucoup le pensent – d'une Source, que nous, nous appelons Dieu.

Passant par le corps, le cœur et l'esprit d'une multitude innombrable de personnes, cette vie a cheminé jusqu'à nos parents qui, après l'avoir reçue des leurs, nous l'ont enfin donnée.

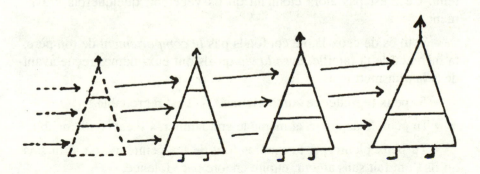

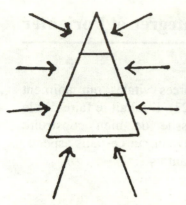

– Mais notre vie, non seulement nous l'avons reçue hier de tous les hommes qui nous ont précédés dans le temps, mais nous l'avons reçue et la recevons encore aujourd'hui, d'une part : de tous ceux qui d'une façon ou d'une autre « nourrissent » les différents niveaux de notre être (depuis le professeur jusqu'au boulanger, en passant par l'ami et l'époux ou l'épouse ...), et d'autre part : de l'univers entier (air, eau, soleil ...) sans lequel nous ne pourrions exister et nous développer. Nous y reviendrons en réfléchissant sur la dimension « horizontale » de l'homme.

* * *

– Puisqu'il n'y a pas une seule parcelle de vie qui ne te soit *donnée*, ton premier acte d'homme si tu veux te construire, est d'*accueillir consciemment et librement cette vie* qui te vient d'ailleurs, et la valeur de ton développement se mesurera d'abord à la capacité et la qualité de cet accueil.

– Or, certains hommes, dès le début de leur développement, gênent ou bloquent, l'arrivée en eux de la vie qui leur parvient de leurs ancêtres, *parce qu'ils n'acceptent pas leurs parents*, ou l'un ou l'autre de leurs parents, ou leur famille dans son ensemble. Rejetant plus ou moins *les personnes*, ils rejettent également la vie qui, par eux, les atteint. Ce n'est pas alors étonnant qu'ils végètent, quelquefois gravement.

– Si tu es de ceux-là, ne confonds pas *le comportement* de ton père, ta mère, et de ta famille, *avec la vie* qu'ils ont eux-mêmes reçue avant de te la transmettre.

• Tu peux regretter ce comportement, s'il est regrettable.

• Tu peux le déplorer, et même le condamner, s'il est condamnable.

• Tu peux pleurer, si tu ignores tout de tes géniteurs, ou si tu sais qu'ils t'ont fait sans amour, et pire encore par violence.

70

• Tu peux souffrir, si se séparant eux-mêmes, ils ont déchiré en toi ce qu'ils avaient uni.

...

Mais si tu veux essayer de vivre pleinement, tu dois accueillir la vie *quelles que soient les personnes qui te l'ont transmise, et la façon dont ils te l'ont transmise.*

– Car cette vie qui t'anime, redisons-le encore, a longuement cheminé avant de venir frapper à la porte de ta liberté, te demandant d'être reçue sans restriction ; elle a probablement « traversé » il est vrai, beaucoup d'hommes qui furent des dévoyés et des lâches, mais aussi beaucoup d'autres qui furent des héros et des saints. Elle a été surtout, accueillie, portée, développée et donnée par une multitude de pères et de mères qui se sont battus pour la défendre, et ont tout sacrifié pour l'épanouir en leurs enfants. Ainsi, si elle charrie des impuretés, dis-toi qu'elle est, avant tout, lourde d'un immense poids d'amour que tu ne pourras jamais mesurer.

Sans cet amour, tu ne serais pas vivant aujourd'hui.

– Dans la prodigieuse et magnifique « course de la vie » lancée à l'aurore du temps, c'est donc l'homme – à partir du moment où il devint homme – qui a reçu le relais. Il l'a passée ensuite à des millions et des millions de marcheurs sur les chemins de l'Histoire. Ensemble, ils sont responsables de cette vie. C'est ce qui fait leur incomparable grandeur.

– Tu es l'un de ces marcheurs. Responsable, toi aussi, mais non pas seulement comme on le pense souvent, vis-à-vis de tes parents, qui les derniers t'ont transmis ce relais, mais d'abord vis-à-vis de la foule innombrable de tous ceux qui les ont précédés. Tu n'as pas le droit d'arrêter la vie.

– Tu reçois tout. Accepte d'être essentiellement pauvre. Celui qui se croit « suffisant » ne peut rien recevoir.

• Si tu fermes les portes, les fenêtres et les persiennes de ta maison, tu ne pourras pas accueillir l'air et le soleil et tu t'anémieras dangereusement.

• Si tu fermes tes mains, tes yeux, tes oreilles, ton cœur et ton esprit, privé de sève, tu ne pourras pas grandir et porter du fruit.

Sois « grand ouvert ». N'aie pas peur. Aime la vie. Car même si elle est difficile à saisir et orienter, même si elle t'occasionne de la souffrance, *dans la mesure où tu l'intègres et l'assumes*, c'est elle qui te fait devenir « homme ».

Préfèrerais-tu être vache dans un pré ?

— C'est d'abord au fond de toi que jaillit cette vie. De temps en temps, ne serait-ce que quelques secondes, arrête-toi et, comme le sportif qui se concentre pour rassembler toutes ses forces, recueille-toi pour venir consciemment au-devant de ce mystérieux jaillissement qui anime tout ton être. Tu seras vivant, d'abord *à la mesure de ta capacité d'accueil*.

— Et, si tu as la chance de croire que c'est le Créateur Lui-même qui en un geste bouleversant de confiance en l'homme, lui a passé dès le début le relais de la vie,

Si tu crois qu'au-delà de tous les intermédiaires, c'est Lui qui continue d'être « source », chaque jour, à chaque instant,

Si tu crois que lorsque tu pénètres en toi jusqu'à cette « source », c'est Lui que tu rejoins, et le souffle de son Amour que tu accueilles,

Alors, laisse-toi créer en te laissant aimer, car un seul regard suffit pour irriguer d'Amour, tous les instants que tu vis.

* * *

Orienter la vie

— Ainsi ta vie vient d'ailleurs, et tu ne peux la développer pleinement que si tu l'accueilles pleinement. Oui mais, pour l'orienter dans quel sens ?

• Pourquoi en effet te préoccuper de rassembler tes bagages pour partir en voyage, si tu ne sais pas où aller ?

• Pourquoi faire de gros efforts pour hisser les voiles de ton bateau, si tu ne sais pas d'où vient le vent, et à quel port tu veux accoster ?

• Pourquoi te fatiguer à capter une source, si tu ne sais pas quelles terres irriguer, pour quelles semailles et pour quelles moissons ?

• Et pourquoi te donner tant de peine à récupérer le maximum de tes forces vitales défoulées ou refoulées, si ensuite tu ne sais pas comment et à quoi les utiliser ?

Beaucoup de gens vivent mal, parce qu'ils n'ont pas trouvé de but à leur vie.

– Avant « d'apprendre à vivre », il te faut acquérir de sérieuses « raisons de vivre ». Car si tu n'es pas fortement « motivé », où trouveras-tu la force de te relever chaque matin pour étudier, travailler ... et souvent te battre et souffrir dans ce monde difficile ?

* * *

– Tu dois d'abord choisir dans *quel sens* tu veux ordonner tes *structures à l'intérieur de toi-même*.

Nous avons dit en effet, dès les premières pages de ce livre, que si les trois « étages » de l'homme, se tiennent, communiquent et réagissent les uns sur les autres, ils n'ont pas « en soi » la même importance. Répétons que :

• Certaines personnes mettent en premier les valeurs du corps : beauté physique, force musculaire, etc ... Et par extension, nous le verrons, bien-être matériel, recherché pour lui-même, comme condition indispensable d'épanouissement.

• D'autres mettent en premier les valeurs du cœur : les émotions étant considérées comme principales ; depuis les émotions artistiques jusqu'aux émotions religieuses en passant par les affections trop sensibles, etc ...

• D'autres enfin, mettent en premier les valeurs spirituelles : la conscience de soi, l'intelligence et toutes les facultés de l'esprit ; l'épanouissement de la « personnalité ».

– Nous avons pour notre part, dès le début de notre réflexion (cf. première partie) situé schématiquement :

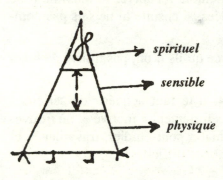

• *le physique*, en bas. C'est le moins noble. Nous le possédons en commun avec les animaux.

• *le spirituel*, en haut. L'homme seul en est gratifié. C'est sa noblesse.

• *le sensible*, au milieu. Indispensable charnière, entre le physique qui enregistre les « impressions », et le spirituel qui les recueille et les rend conscientes. Je regarde (avec mon corps) un coucher de soleil, et je dis (avec mon esprit), c'est beau !

– Mais construire un « homme debout », par opposition à l'homme qui marche sur la tête, rampe ou plane (cf. pages 33 à 41), ce n'est pas seulement mettre en place tes structures intérieures, c'est aussi décider dans *quel sens* tu veux orienter les forces vitales qui les animent.

• Vers l'humanisation et la personnalisation, et si tu es chrétien, vers la divinisation dans et par Jésus Christ.

• Ou vers la ré-animalisation, par l'abdication de ta personne, responsable de l'orientation donnée à ces forces.

– Cette hiérarchie des différents étages de ton être, comme le sens choisi pour orienter ta vie, repose évidemment sur un jugement de valeur que tu peux accepter ou refuser. Mais ce jugement n'est pas fantaisiste. Il rejoint celui des savants qui, dans l'une ou l'autre de leur discipline, étudient la « montée humaine en général ». Ceux-ci sont quasiment unanimes à constater que l'évolution de la vie, depuis le monde infra-humain de la préhistoire, va toujours et partout, comme l'exprime l'un d'eux, « dans le sens d'un accroissement du psychisme » ; et « qu'une marée de conscience se manifeste objectivement sur notre planète au cours des âges »[1]

***

– C'est sous la forme du désir, que la vie vient frapper à la porte de ta liberté.

– Comme tout homme, tu es habité par de multiples et puissants désirs :

- désirs de te développer
- désirs de t'épanouir dans la joie
- désirs d'union aux autres
- désirs de créations ...

Discrètement, comme l'eau qui chemine enterrée cherchant sa source dans la nuit, ou violemment comme le torrent creusant sa route à travers les rochers, ces désirs sont en effet l'expression de l'irrésistible force de la vie qui, à travers toi et par toi, tente de se réaliser.

– Ta vie comme la sève, porte en elle, le désir du fruit. C'est pourquoi *à l'origine* tes désirs sont beaux. Ils sont :

- les appels de la vie qui poussent leurs cris au plus profond de ton être,

- et si tu es croyant, ils sont pour toi, les appels de Dieu lui-même qui t'invite à grandir et devenir l'homme et le fils adulte dont il rêve depuis toujours.

– Car il n'est pas possible que la vie vienne de « nulle part », qu'elle circule et « monte » dans l'univers, dans toute l'humanité, et aujourd'hui en toi, par la magie de milliards et de milliards de prodigieux hasards. Et ce n'est pas possible qu'elle jaillisse soudain, puissante et belle pour s'en aller nulle part :

---

1. Nous n'ignorons pas que si l'homme grandit, la valeur de son comportement ne suit pas forcément hélas, le développement de son esprit et de sa conscience. C'est pour cela que dans ce livre nous cherchons les conditions indispensables pour tenter de construire l'homme *dans toutes ses dimensions*.

– *Incroyant tu peux vivre* et à ta mesure t'épanouir, en trouvant quelques raisons de vivre partielles sur ta route quotidienne. Nous l'avons dit et le redirons. Mais si, embarqué sans l'avoir voulu dans le train de la vie, tu veux vivre *consciemment et pleinement* ton passionnant et difficile voyage, il te faut en découvrir le point de départ et le point d'arrivée. Si non, tu seras « in-sensé », et en toi couvera sournoisement ou éclatera brutalement cette « angoisse existentielle » que beaucoup diagnostiquent comme la plus dramatique maladie du siècle.

– Pour notre part, nous croyons :

• que la vie prend sa source en Dieu, le VIVANT qui ne peut pas mourir,

• qu'en Lui, la vie circule, infinie, entre les trois personnes tellement unies qu'elles ne font qu'UN. Vie toujours en mouvement. Toujours donnée par amour et toujours reçue dans l'amour. Jamais refusée et toujours accueillie. Éternellement accueillie. Éternellement donnée,

• enfin que la vie se répand hors du DIEU-AMOUR car l'amour ne peut retenir la vie, enfermer la vie.

Puisque aimer, c'est toujours donner la vie, Dieu aimant éternellement, donne éternellement la vie.

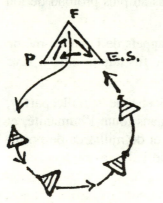

Le "sens" de la vie

– Il fallait alors que le Créateur crée l'homme « à son image et à sa ressemblance », pour qu'il puisse consciemment et librement accueillir cette vie ; et riche d'elle, solidement construit et pleinement épanoui, qu'il accepte à son tour de la transmettre par amour, comme il l'a reçue par amour.

C'est pour cela que tout homme porte en lui ce besoin irrésistible d'être aimé et d'aimer. C'est la marque indélébile de son origine divine.

– Ainsi au plus profond de toi,

• Au cœur même de ta vie qui veut se développer et grandir,

• À la source de tes désirs, qui en avant te tirent et te projettent,

• Et bien en deçà de tes comportements quels qu'ils soient, dans la nuit de ton mystère, se déploie une ÉNERGIE, une force extraordinaire la *puissance infinie de l'AMOUR de Dieu* qui te fait *être* et *vivre* chaque jour, et *son infini désir* qui souhaite te voir homme épanoui, continuant avec Lui de propager la vie.

– Tu seras pleinement homme et pleinement heureux, dans la mesure où tes désirs rejoindront le désir de Dieu ...

Mais tu es libre !

* * *

– Tu es libre, et si, à leur source, tes désirs sont sains, tu peux en effet les rendre mauvais en les détournant de leur but. Comme tout homme, tu te tiens au carrefour de deux chemins possibles et opposés. Tu dois te déterminer. C'est ta responsabilité :

• ou bien être relais, et accepter de transmettre la vie. T'engageant ainsi dans le grand mouvement qui prend sa source en Dieu, tu deviens créateur avec le Créateur.

• ou bien tiraillé par la peur de perdre cette vie reçue, te replier sur elle pour jalousement la garder. Pire encore : te battre pour ravir aux choses et aux hommes ce que tu estimes te manquer.

– Ce n'est pas étonnant. Tu n'es pas dieu, mais « image » de Dieu. Tu n'es pas parfait, mais imparfait. C'est ton handicap originel. *Inachevé, tu es « en manque » à tous les niveaux de ton être :*

• Ton corps a faim. Tout ce qu'il voit, ce qu'il touche, le rassure. Il veut le saisir. Et toi ... tu suis ton corps, croyant t'enrichir et grandir en capitalisant à ton profit le plus possible de biens matériels ...
Sexuellement, tu t'expérimentes incomplet, et penses pouvoir te compléter physiquement en prenant d'autres corps pour nourrir tes plaisirs, prétendant ainsi que tu aimes ...

• Ton cœur est avide. Il cherche à se repaître d'émotions, et tu tentes de séduire et de capter d'autres cœurs pour réjouir le tien. Tu penses alors aimer davantage, en ravissant pour toi de multiples amours ...

• Ton esprit est insatiable, tu t'acharnes à le grandir et à développer sa puissance, pensant devenir « sage » en multipliant « pour toi » tes connaissances ...

Et tu t'imagines même, si tu es croyant, que tu peux « prendre » Dieu pour devenir fort de sa Puissance.

— Si tu ne penses qu'à *prendre*, tu fais fausse route, parce que :

• Tu n'auras jamais fini d'engranger à ton profit. Tes désirs fous te pousseront à courir toujours plus vite sur le chemin de la consommation, et tu ne pourras jamais apaiser tes faims et tes soifs sans cesse renaissantes.

• Tu te considéreras toujours trop pauvre pour pouvoir donner, concédant peut-être aux autres, au plus quelques miettes, en refusant ton pain.

— Si tu ne penses qu'à *garder*, tu fais fausse route :

• Tu ne pourras plus continuer de recevoir, car mains pleines et cœur plein, ne peuvent plus accueillir.

• Tu condamneras la vie à mort, car l'eau du fleuve pourrit quand elle stagne longuement, le grain meurt qui refuse de s'ouvrir à l'épi

• Tes frères autour de toi s'anémieront, car comme toi ils ont besoin pour vivre de la vie qui leur est transmise par les autres.

— Ainsi, au seul plan humain, toute la psychologie dynamique moderne nous dit, comme au plan chrétien tout l'évangile nous enseigne, que *par ses choix*, l'homme libre a le pouvoir, en orientant la vie qui lui parvient :

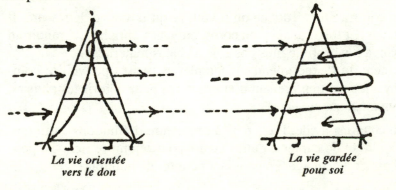

La vie orientée   La vie gardée
vers le don   pour soi

• de respecter sa puissance d'expansion, d'union, de création : c'est l'amour qui continue d'engendrer la vie,

• ou en la détournant d'en faire une puissance de régression et d'isolement : c'est l'égoïsme et l'orgueil qui engendrent la mort.

– La vraie mort n'est pas de cesser de vivre mais de cesser d'aimer. C'est-à-dire cesser de recevoir et de donner la vie.

Jésus a dit : « Celui qui veut garder sa vie, la perd. Celui qui la donne, la trouve »[2].

– Le chrétien appelle « péché », l'acte de prendre et de garder la vie pour soi, au détriment des autres.

Il appelle péché « mortel » l'acte pleinement conscient et libre de l'homme qui, recroquevillé sur cette vie, l'enferme totalement, et s'enferme (enfer) avec elle.

À la limite, se situant définitivement hors du courant de la vie, coupé de Dieu et coupé de ses frères, il fait en effet « mourir cette vie ».

C'est pourquoi l'apôtre Paul a écrit : « C'est le péché qui a introduit la mort dans le monde »[3].

– Si l'homme a le terrible pouvoir de s'opposer au désir de Dieu en arrêtant la vie à lui-même, le chrétien jamais ne désespère de lui et de l'humanité. Car il sait et croit que Jésus, homme parfait, est venu sauver la vie que nous faisons mourir.

Jésus l'avait dit : « Celui qui croit en moi, ne mourra jamais »[4].

**

– Ainsi, pour le chrétien, *la destinée de l'homme, va de l'AMOUR à l'AMOUR*. Et le temps de sa vie est cet espace de liberté qui lui est nécessaire :

---

2. Matthieu 10, 39.
3. Rom 5, 12.
4. Jn 11, 25-26.

• pour l'accueillir des mains du Père, à travers tous les intermédiaires terrestres,

• pour l'humaniser et la personnaliser par l'intégration,

• et par Jésus Christ, la diviniser et l'orienter vers son retour à l'AMOUR (cf. schéma page 78).

Ce point de départ et ce point d'arrivée « situe l'homme ». Hors de ces deux pôles, il est « dés-orienté ».

– Celui qui ne croirait absolument en rien, à la limite ne pourrait pas vivre. Mais un tel homme existe-t-il ?

Si toi tu ne crois pas en Dieu-Amour et en son Fils Jésus, source et dynamique de vie ... éternelle, *crois au moins en la vie* qui t'anime et anime le monde. Respecte-là. Et comme tu l'as reçue, donne-là à ton tour.

Car pour *tout homme quel qu'il soit*, vivre et se construire épanoui, c'est *toujours* s'efforcer de passer :

• de la tentation de prendre et de garder la vie dans l'illusion de s'achever soi-même,

• à la volonté de l'accueillir et de la faire sienne, pour la donner aux autres, en les aidant à s'achever eux-mêmes.

Si tu te mets ainsi loyalement au service de la vie, un jour peut-être tu en découvriras la Source et la Fin : Dieu Père qui t'aime, et te désire vivant éternellement avec Lui et tes frères, une Joie éternelle. Car l'Amour ne peut pas mourir.

* *

Ayant réfléchi sur « le sens » profond de l'homme et en lui de la vie qui l'anime, nous pouvons maintenant nous demander *comment pratiquement* intégrer la vie qui se présente à nous, et comment récupérer et intégrer celle qui nous échappe dans le défoulement.

Intégrer la vie,
qui nous échappe dans le défoulement

Nous l'avons constaté, une grande partie de notre vie nous échappe.

Nous sommes souvent absents consciemment de ce que nous pensons, ressentons, faisons.

Certains de nos mots sont alors écorces vides. Ils font du bruit, mais nous parlons pour ne rien dire.

Nos gestes ne « signifient » que peu de choses et nous « gesticulons » sans être des porteurs de sens.

Nos actions ne sont guère efficaces, et nous devenons des « activistes » dont le grain semé, ni ne germe, ni ne crée.

Pauvres de puissances vitales, nous vivons bien en deçà de nos moyens.

Il nous faut le plus possible : intégrer la vie qui se présente à nous chaque jour, et réintégrer celle qui nous échappe dans le défoulement.

Pour y parvenir, nous devons nous arrêter pour : *prendre conscience de cette vie – l'assumer – l'orienter dans le don.*

*
* *

S'arrêter

– Le train des voyageurs n'est plus que rarement un omnibus qui roule lentement et s'arrête à toutes les gares. Il est souvent un TGV qui fonce à deux ou trois cents kilomètres à l'heure, et relie deux grandes villes en effaçant les très nombreuses petites. Ceux qui les empruntent, que retiennent-ils du voyage ?

Ainsi pour toi, passager de ton histoire. Tes instants, tes heures, tes jours et tes années de vie, défilent de plus en plus vite, sans que tu aies le temps de les vivre.

– Emporté dans ce train de ton histoire, tu continues de recevoir la vie, chaque jour nouvelle. Elle bouillonne en toi, étourdissant dynamisme qui éclate en tous sens : pensées, rêves, sentiments, émotions, envies, désirs, etc ... Ce sont, nous l'avons dit, tes forces vives qui, par et à travers ton corps, ton cœur, ton esprit, cherchent les chemins de leurs réalisations.

Tu ne seras homme que si ces forces trouvent leur épanouissement *avec toi, par toi, et non sans toi.*

- Plus vite et plus abondante s'écoule ta vie,
- Plus nombreux sur ta route, les événements se bousculent,
- Plus les sollicitations de toutes sortes t'assaillent ...

Plus souvent tu dois t'arrêter pour accueillir cette vie, la voir et la re-voir. C'est ainsi que tu peux te l'approprier. Elle deviendra tienne et te fera devenir « toi ».

– À chacun de trouver son rythme de prise ou de re-prise en main de tout ce qu'il est et de tout ce qui le fait. Certains doivent s'arrêter plus souvent, d'autres moins, mais plus longuement.

– Ne dis pas que tu n'as pas le temps. Dix minutes, un quart d'heure chaque jour suffit – le soir pour beaucoup – Si tu t'astreins à demeurer fidèle à cette pose, tu acquerras peu à peu l'habitude de te « recueillir ». Et tu pourras ensuite y parvenir en quelques instants de re-prise, plusieurs fois dans ta journée.

– Si tu es chrétien, c'est à la Lumière de la foi que tu dois re-voir ta vie. Nourri d'évangile, tu acquiers peu à peu la « façon de voir » de Jésus. Et si tu es fidèle à Le suivre, tu réaliseras de plus en plus clairement si le moment de vie que tu observes, va oui ou non, dans le sens du désir du Père sur toi.

Prendre conscience

Tu respires « sans y faire attention ».
Tu manges « machinalement ».
Tu rêves et penses « sans agir ».
Tu agis sans « y penser », etc ...

Ainsi, il faut le reconnaître une fois de plus, la plus grande partie de ta vie, en toi et hors de toi, se déroule sans toi.

• L'animal vit, mais n'est pas conscient de sa vie. Il réagit instinctivement.

• L'enfant peu à peu, prend conscience de sa vie : des autres, des événements, etc ...

• L'adulte lui, doit devenir *pleinement conscient*.

Tu seras « plus homme », d'abord dans la mesure où *tu rendras consciente, le plus possible de ta vie inconsciente*. Car comment pourrais-tu assumer et orienter ce que tu ignores, ou refuses de voir.

– Dans tes haltes sur ta route, ne crains pas de regarder en face TOUTE TA VIE. Celle qui jaillit au plus profond de ton être, comme celle qui te vient de l'extérieur, et celle qui s'égare dans des actes que tu n'as pas voulus. Que jamais pour toi il n'y ait de regards interdits sur tout ce que tu penses, ressens, vis.

– Nous l'avons dit, certains hommes sont inquiets et se plaignent, entre autre, de leur trop grande vitalité ; que ce soit au niveau de leur corps, de leur cœur ou de leur esprit. Le charivari intérieur de toutes leurs puissances leur fait peur. Ils redoutent les accidents possibles ou reculent devant les efforts à fournir pour canaliser et orienter leurs folles énergies.

Toi, au contraire, si en ton être profond, le souffle de la vie est puissant, réjouis-toi, car tu pourras vivre plus intensément.

Un vrai cavalier préfèrerait-il en effet, monter un cheval vieux et fatigué pour éviter la chute, plutôt qu'un cheval jeune et nerveux, qui l'emportera plus vite et plus loin ?

– N'étouffe aucun de tes désirs, même si tu juges qu'ils sont dangereux ou « mauvais ». Tu étoufferais la vie dont ils sont l'expression, et ils continueraient de vivre mais ... sans toi.

À la limite, un homme sans désirs et sans passions est un homme à l'électrocardiogramme plat. Il est mort !

– Il est vrai cependant que tes forces vitales sont en toi des énergies violentes, qui hors de ton contrôle, peuvent devenir dévastatrices (défoulement). Faut-il alors les détruire ?

• Si tu fais de fausses notes en jouant de ta guitare, tu ne vas pas couper ses cordes, pour être sûr de ne plus faire d'erreurs.

Arrête-toi. Consulte ta partition. Accorde ton instrument et reprends ta musique.

• Si en voiture tu as emprunté des chemins interdits, ou des voies sans issues, tu ne vas pas jeter ton véhicule dans le fossé, pour être sûr de ne plus t'égarer.

Arrête-toi, prends ta carte routière, vérifie ton itinéraire. Reconnais ton erreur, et remonte en voiture. *C'est la même force qui t'a éloigné de la route, qui te permettra de la rejoindre.*

– Ainsi pour toutes tes énergies vitales. Si tu t'aperçois que « défoulées », hors de ton contrôle, elles ont mal joué la partition de ta vie, ou t'ont emmené sur des voies dangereuses, ne tente pas de les détruire pour être sûr de ne plus te tromper.

Arrête-toi , et d'abord *prends conscience* de tes erreurs.

– Ne perds pas de temps :

• à ruminer tes regrets : Si j'avais su ... ! Dans quelle situation je me suis mis ... ! Que vont penser les autres ... ! J'ai honte ... ! Je suis déçu de moi ... !, etc ...

• ou à te chercher des excuses : Je ne savais pas ... On m'avait dit ... J'avais envie de ... Ce n'est peut-être pas si grave, etc ...

Si tu ne reconnais pas tes erreurs (et même tes « péchés »), si tu n'acceptes pas de les avoir faites, tu ne pourras pas libérer et ré-orienter les forces qui t'ont permis de les commettre.

– Construire un « homme debout », ce n'est pas comme le pensent certains éducateurs :

Les forces barrées empêchent la construction d'un homme véritable

• barrer systématiquement les forces qui s'égarent

• ou bien limiter les forces physiques ou sensibles jugées dangereuses, dans l'illusion de permettre aux forces « spirituelles » de se développer davantage.

Adopter cette attitude, c'est « fabriquer » un homme, apparemment solide, parce que bien « corseté », mais reposant sur des pieds d'argile, qui risquent un jour ou l'autre, de s'écrouler et le jeter à terre.

– L'homme n'est pas un esprit (une « âme »), planté dans une enveloppe corporelle ; c'est un corps, un cœur, un esprit, unis ou ré-unis en une même et unique personne. Négliger, mépriser ou barrer certaines de ses forces vitales, c'est le mutiler.

Le chrétien croit, que c'est *tout l'homme* qui doit être divinisé et conduit, en Jésus Christ, jusqu'à la résurrection.

– Mais il est vrai que des chrétiens zélés et sincères, peut- être te diront : pour te développer sainement et « plaire à Dieu », il te faut méthodiquement « *fuir* les tentations ».

Présenté ainsi, c'est une erreur et une malheureuse illusion. Car tu peux te sauver dans le désert, vivre en ermite, fermer tes yeux et tes oreilles, ton cœur et ton esprit ... les « tentations » seront toujours là, car elles sont en toi les « tentatives » de la vie qui cherchent follement et hors de toi, à produire leurs fruits sauvages.

– D'autres – ou les mêmes – te diront : il faut « *chasser* » impitoyablement les « mauvaises pensées », les « mauvais désirs » ... Tu t'y emploieras en vain. Car au moment où tu croiras en avoir triomphé, tu t'apercevras que les unes et les autres se sont envolés pour se poser ailleurs.

– Quels que soient tes envies, tes désirs, tes « tentations » ... ils sont tous, l'offre faite à ta liberté de te permettre de devenir « plus homme ».

– *Tu ne te débarrasseras pas de la vie en la chassant*, encore moins en tentant de la tuer. Barrée, elle tournera et se retournera en toi, créant de sournoises tensions et cherchant d'autres issues, que de tout sens – c'est-à-dire dans « n'importe quel sens », elle trouvera.

Pour pouvoir tout orienter, il te faudra d'abord courageusement prendre conscience de tout et faire face.

– On te dira alors : c'est de l'orgueil de croire que tu pourras défier et vaincre « l'ennemi » (!). Tu répondras que ce serait plus d'orgueil encore de croire que tu as vaincu si, à coup de volonté, tu pensais avoir réussi à écraser La vie. Car comment pourrais-tu triompher en disant :

- je ne bats plus mes frères ... si tu n'as plus de mains ?
- je ne me trompe plus de route ... si anémié tu ne peux plus marcher ?
- je n'ai plus de haine pour mes ennemis ... si ton cœur est à sec ?

Il y a des pseudo-qualités et des pseudo-vertus, qui sont des mutilations ou des refoulements.

– La véritable « ascèse » pour le chrétien, ce n'est pas de barrer ses forces qui s'égarent, mais de travailler humblement, quotidiennement, à les *récupérer* avec Jésus Christ, pour *les ré-orienter sans en briser aucune*.

Or, pour les récupérer, il faut d'abord accepter courageusement d'en prendre conscience, au lieu de les fuir ou de se voiler la face.

– Il n'y a rien d'humain en nous, qui ne doive échapper à « l'incarnation » continuée de Jésus Christ. Et en notre vie, il n'y a de « déchet » que ce que refusant d'intégrer, nous empêchons Jésus Christ d'assumer.

Intégrer en acceptant et en assumant pleinement

• J'espérais du soleil et il pleut ; moi qui n'aime pas la pluie !

• Mon chef est de mauvaise humeur ; ma journée sera dure !

• Ma femme – mon mari – m'a fait une réflexion désagréable ; je ne l'accepte pas !

• J'ai longuement préparé un voyage ; ma voiture est en panne !

• La réunion a échoué ... mon enfant est malade ... j'ai raté mon examen ... je viens d'être licencié, etc... etc.

Ta vie est ainsi faite, qu'au milieu d'événements heureux que tu as désirés, et prévus, de nombreux autres, petits ou grands, gênants ou regrettables, graves et même quelquefois tragiques, s'imposent à toi, alors que tu ne les as pas voulus et choisis.

Au point de départ, ta capacité à accepter ce RÉEL – pour pouvoir ensuite l'assumer pleinement – mesurera exactement ta capacité de développement humain, et, dans le Christ, de ton développement chrétien.

– Dans ta vie, en face des événements que tu n'as pas voulus, le temps que tu passes :

• à refuser qu'ils soient là, à ce moment-là, sous cette forme là ...
• à te révolter contre eux,
• à te regarder et à te plaindre,
• à chercher des coupables et à « leur en vouloir », etc ...
est autant de temps et d'énergies perdus, pour vivre et te nourrir de ta vie, telle qu'elle se présente à toi aujourd'hui.

– Attention ! Assumer le RÉEL de notre vie,

• ce n'est pas « se résigner » en disant : « je suis bien forcé d'admettre, de faire, de porter, de supporter »...

• ce n'est pas « approuver », si c'est regrettable, en disant : « après tout, c'est peut-être aussi bien comme ça ! »

• ce n'est pas « renoncer » à lutter contre l'obstacle, s'il est évident qu'il s'agit d'un mal.

C'est d'abord *reconnaître que c'est ainsi ... et pas autrement* ; puis *accepter profondément qu'il en soit ainsi.*

– Assumer c'est ensuite – si tu ne peux raisonnablement rien changer – faire tien, adopter activement, ce qui au point de départ te vient indépendamment de ta volonté, et même quelquefois contre ta volonté. C'est rendre volontaire ce qui était involontaire. L'événement ne change pas, mais *c'est toi qui changes*. Ce qui était malgré toi, devant toi, et que tu subissais, *tu le vis et tu te l'incorpores.*

– Il ne s'agit donc pas, loin de là, de renoncer au but final que tu as décidé d'atteindre, au sens que tu veux donner à ta vie (cf. chapitre précédent), mais très souvent, de renoncer à *la façon concrète d'y parvenir*, avec les moyens prévus, les personnes, etc ...

Certains hommes végètent parce qu'ils n'ont jamais divorcé de leurs rêves et de leurs projets, pour épouser le RÉEL qui se présente à eux. Ils mènent perpétuellement une double vie. N'ayant pas franchement abandonné la première, ils subissent la seconde, « à contrecœur ».

– À partir de tes rêves, de tes belles idées, de tes raisonnements et de projets qui « restent en plan », tu peux te construire un « personnage » qui jouera bien son rôle, à tes yeux et aux yeux des autres ; mais si tu veux construire une vraie « personne », c'est *à partir du RÉEL de ta vie quotidienne*, pleinement assumée, que tu y parviendras, car c'est ce RÉEL qui est la matière première de ta construction.

• Tu peux – et tu dois, nous le verrons – t'enrichir des autres, de tous les autres, rencontrés sur ta route.

• Tu peux t'enrichir tout spécialement de quelqu'un, vivant ou mort, que tu aimes et admires ; ce n'est pas faiblesse et « manque de personnalité » au contraire, mais il ne s'agit pas de « revêtir » les richesses des uns et des autres comme on enfile successivement plusieurs vêtements ; il ne s'agit pas de « copier des modèles » et de « jouer leur vie ».

Si tu es séduit par quelqu'un, qui à certains points de vue est authentiquement admirable, par sa pensée, son comportement, sa rencontre du Seigneur, etc ..., réjouis-toi ; sois humble devant lui ; accueille ses richesses offertes pour t'en nourrir, les assumer et *les faire devenir tiennes*. Tu auras alors la chance d'être « disciple », et non pas mime ou comédien.

– Dans l'action – et encore une fois sans abandonner l'orientation que tu as choisie – tu seras pleinement efficace, quand tu deviendras capable de faire avec la même volonté et le même cœur que si tu l'avais choisi, ce que tu n'as pas prévu de faire, de la manière et au moment que tu n'avais pas prévu de le faire.

– Animé du même esprit, tu commenceras à pouvoir aimer authentiquement « tous tes frères », quand tu accepteras enfin, ton époux, ton épouse, tes enfants, tes amis, les personnes qui t'entourent, etc ..., *tels qu'ils sont* et non tels que tu voulais ou rêvais qu'ils soient.

– Ainsi, globalement, tu deviendras de plus en plus l'homme que tu dois devenir, si un jour tu peux dire authentiquement – parce que tu t'es longuement entraîné à épouser le RÉEL de ta vie quotidienne – : d'avance j'accepte pleinement ce qui pourra m'arriver, et *en l'orientant*, je m'en servirai pour développer ma vie dans le sens où j'ai décidé de l'épanouir.

De leur côté, certains chrétiens traduiront cette attitude dans ce langage de foi : « D'avance j'accepte la volonté de Dieu, je m'abandonne à Lui ». Mais ces expressions peuvent être très mal interprétées. Il faut s'en expliquer pour les comprendre en profondeur.

En effet, ce n'est pas Dieu qui « veut » que ton chef soit de mauvaise humeur, que ta voiture tombe en panne, que ton enfant soit malade, que tu sois licencié, etc ... (cf. plus haut) ...

Ce n'est pas Dieu non plus qui « envoie » les événements qui, quotidiennement se présentent à toi : les heureux pour t'encourager et te récompenser, les malheureux pour « t'éprouver », et encore moins pour te « punir ».

– Les événements qui jalonnent notre vie quotidienne sont les fruits de la nature autonome, pas encore maîtrisée ou aménagée par l'homme (les maladies, la pluie, la sécheresse, etc ...), ou le résultat du jeu des libertés humaines qui s'entrecroisent les unes les autres dans l'immense champ de l'histoire (depuis les petites blessures individuelles que nous

nous faisons les uns les autres, jusqu'aux terribles maux collectifs qui agressent l'humanité entière : la guerre, la faim dans le monde, le chômage, etc ...).

– Attribuer à Dieu la responsabilité de ces événements, petits ou grands, c'est blasphémer. Dire qu'il les « permet », c'est le rendre complice. En fait, il les supporte, *il en souffre atrocement* (passion), prisonnier qu'il est de la liberté que par amour il nous a donnée.

Mais nous l'avons dit, et il faut le redire, si nous assumons pleinement ces événements, Jésus Christ, Homme-Dieu, peut alors les assumer avec nous et nous redonner purifiée et divinisée cette vie que nous avons affreusement détournée et polluée (résurrection).

– Ainsi, la « volonté de Dieu » – qu'il est plus juste de traduire par « désir de Dieu »[1] – c'est donc :

• que nous *prenions en charge personnellement la totalité de notre vie,*

• que nous luttions certes de toutes nos forces contre le mal qui se présente,

• mais que quels que soient les obstacles sur notre route, nous ne renoncions jamais à leur faire face, pour tenter de les assumer et les intégrer dans notre parcours, en les orientant dans le sens du désir du Père, sur nous et sur l'humanité.

C'est-à-dire que nous fassions notre métier d'homme, pour que Dieu, par Jésus Christ, puisse accomplir sa mission. Le Christ en effet « ne peut diviniser que ce que nous humanisons »[2].

– Il ne s'agit pas de plusieurs étapes dans notre vie : une première où nous travaillerions à intégrer cette vie et à nous humaniser ; puis une seconde où, l'ayant offerte à Jésus Christ, celui-ci la diviniserait.

---

1. En effet, Dieu ne dit pas « je veux », j'exige, qui est le langage des puissants de la terre, mais « je voudrais », je désire, qui est le langage de l'amour (cf. *Dieu n'a que des désirs,* M. Quoist, Éd. de l'Atelier).
2. La formule est du Père F. Varillon, reprise plusieurs fois, sous une forme ou une autre, dans son très beau livre *Joie de croire, joie de vivre,* Éd. du Centurion.

C'est *au cœur de nos efforts humains*, que si nous lui demandons, Jésus nous rejoint, et coule en notre action la puissance infinie de son Amour.

– *Pour un chrétien*, « s'abandonner à Dieu » :

• Ce n'est donc pas « démissionner entre ses mains », dans le sens de s'en remettre totalement aux ordres d'un dieu tout-puissant à la façon des hommes ; un dieu qui dirigerait tout, mènerait tout, orienterait tout ... pour notre bien. Ce dieu serait paternaliste et non pas Père, et nous serions et demeurerions devant Lui des mineurs, et non les hommes debout qu'il désire depuis toujours « à son image ».

• S'abandonner à Dieu, c'est se *livrer à un AMOUR, celui du PÈRE* tout-puissant qui vient au-devant de nous en son Fils Jésus Christ. Jésus qui jamais ne prendra notre place d'homme, mais toujours nous offrira cet AMOUR infini qui, si nous l'accueillons, sauve, transfigure et divinise toute vie.

* * *

Orienter vers le don

– Pour beaucoup de psychologues, être « humain » signifie toujours : « se mettre en route vers un en avant » ; « pointer vers un au-delà de soi ».

Pour nous, cet au-delà de soi, c'est l'autre, les autres, l'humanité, le monde en construction, et pour le croyant, Dieu.

En effet, nous l'avons suffisamment dit, la vie ne s'arrête pas à nous-même. Elle est force d'expansion, d'union, de création (cf. page 27). Si nous tentons de la retenir, elle meurt et nous fait mourir.

– Ainsi le grain n'a de sens que pour l'épi, et l'épi que pour la graine, la farine et le pain. Si l'un et l'autre refusent de donner leurs fruits, ils pourrissent et se détruisent.

Mais ni le grain, ni l'épi, ne choisissent entre leur vie à transmettre, ou la mort, tandis que l'homme décide librement de son destin : garder la vie et la perdre, ou la donner et la trouver.

– Aucun d'entre nous ne peut vivre pleinement s'il ne tente de donner la vie qu'il a reçue, intégrée, développée. C'est-à-dire servir ses frères en les aimant, puisqu'aimer, c'est toujours donner sa vie.

Le drame c'est que certains hommes aujourd'hui – spécialement dans ce monde tragique des « exclus » – pensent et croient que leur vie à eux ne sert à rien et ne pourra jamais servir. Or, ils savent que ce qui ne sert plus ... on le jette !

– Le don de notre vie s'exprime directement et individuellement dans nos relations interpersonnelles, ou indirectement et collectivement à travers des causes à défendre, des actions à entreprendre, des combats à livrer etc ...

C'est donc ta responsabilié d'orienter toutes tes forces vitales vers le don ... Il ne te suffit pas en effet, pour être « homme », de te recueillir, de prendre conscience de la vie qui te parvient, de l'assumer pleinement, et en l'intégrant de la personnaliser, mais il te faut à chaque moment, tenter *de la faire passer de toi vers les autres*, pour qu'elle continue sa route de création. Sinon, tu te situes à contre-courant de l'histoire de l'homme et de l'humanité, hors du dessein du Père réalisé en son Fils Jésus. Et tu ne peux pas être pleinement heureux.

Ainsi, beaucoup d'hommes sont mal-heureux, parce qu'ils ne vivent pas « dans le bon sens ».

* *

– Dans ton ciel intérieur et sur l'aéroport de tes journées, le trafic est ininterrompu. Comme les aiguilleurs du ciel dans leur tour de contrôle, c'est toi, « aiguilleur de ta vie », qui décides de son orientation. Mais ce n'est pas simple.

Certes, tu ne disposes en fait, comme nous l'avons dit (page 78), que de deux grandes pistes d'atterrissage pour tes pensées, tes sentiments, tes actes ; l'une mène vers toi, l'autre vers les autres. Mais ce sont d'innombrables petites pistes secondaires qui y conduisent, dans un enchevêtrement indescriptible.

Tu ne dois pas te tromper pour faire atterrir ta vie dans le bon sens.

– Il te faut donc être lucide et loyal envers toi-même pour détecter si finalement, à travers ton intense activité intérieure et extérieure, tu *te* recherches, ou si tu recherches le bien, le bonheur et l'épanouissement de l'autre, des autres et du monde.

– Vérifie d'abord de temps en temps *l'orientation générale de ta vie* :

• Je poursuis des études supérieures. Dans quel but ?

• Dans notre couple, nous voulons un enfant. Pourquoi ?

• Nous cherchons à déménager. Pour quelles raisons ?

• Je m'engage dans tel mouvement, telle association, tel parti. Qu'est-ce que je recherche ?

• etc ... etc ...

– *Sur ta route quotidienne*, ce sont chacune de tes décisions et de tes actions qu'il faut souvent re-voir et contrôler. Vont-elles dans le sens que tu as choisi pour ta vie ?

Les méandres de notre esprit et notre cœur sont tels que nous nous retrouvons souvent en face de nous et non des autres.

• J'offre un cadeau à ma femme, mon mari. Mais quel cadeau ? Celui qu'elle ou qu'il désire, ou celui qui me plaît ?

• Je vais visiter telle personne. Est-ce d'abord pour elle, ou pour moi ?

• Je refuse tel service. J'accepte celui-là. Pourquoi ?

• Je m'octroye légitimement un temps de repos, de distraction. Pour me détendre sainement et ensuite mieux servir, ou pour m'étourdir de plaisir ?

• etc ... etc ...

Sois vigilant, car si tu as décidé d'aller à Marseille, il ne faut pas prendre la route de Lille !

• À l'eau qui descend de la montagne par de multiples ruisseaux ou quelques violentes cascades, il ne s'agit pas d'opposer des barrages, mais de creuser des canaux pour orienter sa puissance et la faire servir.

• Contre la « violence des jeunes » par exemple, à juste titre inquiétante, il ne s'agit pas de sévir, de punir, d'enfermer, mais d'offrir à ces jeunes des occasions d'utiliser leurs puissances de vie pour se construire et construire la société autour d'eux.

• etc... etc...

• Ainsi, aux forces vitales qui se présentent à toi, calmes ou impétueuses, tu dois offrir des chemins d'expansion où elles pourront se réaliser positivement.

Mais souvent hélas, la vie échappe à ton contrôle. Il te faut la récupérer, puis la ré-orienter.

• Tu es blessé dans ta sensibilité ? Ne laisse pas ce sentiment te détruire ; recueille cette émotion, puis écoute une chanson que tu aimes, admire cette fleur devant toi ...

• Tu réalises tout à coup, qu'emporté sur les ailes du rêve, tu planes loin du réel ? Utilise ce courant qui t'emmène, pour rejoindre la terre ferme et peut-être tout simplement ... ta tâche du moment.

• Tu constates devant tel obstacle inattendu que tu vas te mettre violemment en colère ? Prends conscience de cette force qui t'envahit et utilise-là pour achever un travail qui te coûte ... accueillir la personne qui se présente ...

• Tu es tiraillé à droite, à gauche, par de multiples désirs à tous les niveaux de ton être, et tu te traînes indécis, voulant, ne voulant pas ...

• Arrête-toi. Prends conscience de l'énergie de ces courants contraires qui tournent et retournent en toi sans trouver leur issue, et rassemblant leurs forces ... va rendre le service que depuis longtemps ton voisin t'a demandé ... téléphone à ton ami qui attend ... prépare la prochaine réunion de ton mouvement ...

• etc... etc...

C'est en faisant ainsi fidèlement l'effort de ré-orienter toutes tes forces vitales, qu'en étant plus maître de ta vie, tu deviendras plus homme.

C'est en ré-injectant dans ton parcours quotidien toute cette vie récupérée, que tu développeras grandement ton efficacité journalière, et pourras servir davantage en donnant davantage.

* * *

– Ne rêve pas trop vite de perfection, tu te découragerais. Comme nous tous tu retiens et prends souvent pour toi, une bonne part de la vie que tu prétends donner. Ou tu donnes en espérant toucher le bénéfice de ton geste. C'est alors du petit commerce. Or, il n'y a que l'amour, *don gratuit de sa vie* aux autres, qui construit l'homme.

– Ce n'est pas en une seule fois que tu orienteras ou ré-orienteras toutes tes forces vitales vers le don pour le service de tes frères.

• Comme le sportif ne devient pas champion dès ses premiers exercices ;

• comme l'étudiant qui désire se consacrer à la recherche, ne devient pas savant dès ses premières expériences ;

• comme le maçon qui bâtit une maison ne l'achève pas dès les premières pierres posées ...

Il te faudra mille et mille fois, en face de tous les moments de ta vie, travailler à transformer ton désir de prendre et de garder, en volonté de donner (cf. page 82).

* * *

– Concrètement donc, ton effort chaque jour patiemment répété, doit être de faire grandir la part de ta vie offerte aux autres, au détriment de celle gardée pour toi.

• Mais jusqu'où ?

– Quelques-uns te diront : il faut « t'oublier entièrement » ; « mourir à toi-même ». Ils ont raison sur le fond, mais les expressions sont dangereuses. Certains en ont totalement déformé le sens en les comprenant et vivant à la lettre. Ainsi :

• des épouses, des mamans, se sont tellement consacrées à leur mari, leurs enfants, qu'elles n'existaient plus pour elles- mêmes.

• des engagés au service d'une grande cause se sont épuisés, vidés au plus profond d'eux-mêmes, n'ayant plus rien à donner à leurs proches affamés.

• des gens « dévoués » sont devenus les esclaves de ceux que de toutes leurs forces ils désiraient servir.

• etc... etc...

– « S'oublier », « mourir à soi », ce n'est pas se nier, se supprimer. Ce n'est pas renoncer à recueillir toute sa vie, à la développer au maximum pour devenir riche de soi, personne unique, épanouie. Mais c'est, *dans le même mouvement*, décider et vouloir de toutes ses forces *ne rien arrêter à soi* de cette vie qui doit être donnée aux autres. C'est mourir au moi égoïste, celui qui retient la vie captive et la tue.

– Tu penses ou dis quelquefois : je veux bien essayer de donner ma vie, pour le bonheur des autres, mais si les autres ne me donnent rien en retour, comment vivrai-je puisqu'il ne me restera plus rien !

• Erreur ! Il te reste la vie, puisque tu la reçois chaque jour, nouvelle.

– Si tu ne reçois pas davantage, c'est parce que tu ne donnes pas assez. Ton verre plein, nul ne peut le remplir ; encore moins ton esprit et ton cœur.

C'est seulement quand tu auras décidé de tout accueillir et intégrer, mais d'essayer de ne rien retenir et de tout donner, que tu pourras tout recevoir.

Mais tu as peur de mourir, alors que c'est la vie qui s'offre à toi !

– Regarde parmi les hommes qui t'entourent, les plus grands vivants et les plus rayonnants sont toujours ceux qui donnent et se donnent le plus.

– Sois sans crainte, tu as le droit, et même le devoir, d'être heureux. Mais tu te trompes souvent sur la route de l'authentique bonheur.

Tu prends les chemins des plaisirs immédiats, sans vérifier leurs itinéraires et leur but.

Certains ne mènent nulle part. Alors tu t'égares et te détruis lentement.

Beaucoup d'autres heureusement sont bons et riches. Accueille-les sans réticences. S'ils sont sains, ils seront nourrissants.

Cependant, si tu veux qu'ils portent leurs fruits en toi et dans les autres, ouvre tes mains et ton cœur, *car eux non plus ne doivent pas être enfermés mais donnés.*

– Si tu te replies sur tes petits et grands bonheurs, pour tenter d'en jouir seul, tu expérimenteras rapidement qu'en toi ils se fanent aussitôt cueillis, t'obligeant à en chercher de nouveaux, toujours plus nombreux, toujours plus forts et toujours plus vite flétris ...

Alors, découvriras-tu peut-être, au plus profond de ton être, que la vie n'a de goût que dans le don, et que c'est seulement au bout de ce don, que fleurit la vraie JOIE.

Récupérer et intégrer la vie refoulée [1]

Pour que nous puissions « vivre pleinement », nous avons jusqu'à présent noté la nécessité :

- d'accueillir sans condition, la vie qui se présente à nous
- de récupérer celle qui nous échappe dans le défoulement
- et ayant ainsi enrichi notre élan vital, de le diriger vers le don aux autres, et pour le croyant, vers Dieu

Dans la construction de notre homme intérieur, il nous reste maintenant à réfléchir sur les moyens de recouvrer également la part de vie – souvent importante – qui stagne en nous, victime du refoulement. Elle alourdit en effet notre marche ; elle handicape notre développement, quand elle ne nous détruit pas ; elle prive enfin les autres et Dieu, d'un apport qui leur revient.

Pour y parvenir, après avoir écarté les mauvaises et inutiles attitudes, nous suivrons la même méthode que précédemment : s'arrêter et *prendre conscience* de tout ce que nous avons enfermé ; *l'intégrer en l'acceptant et en l'assumant* profondément ; puis tout *orienter* vers le don.

Pratiquement, il serait bon de relire d'abord le chapitre « L'homme refoulé et les conséquences du refoulement » (pages 47 à 61) pour avoir en mémoire les axes importants que nous avons retenus.

---

1. Dans ce chapitre, il s'agit uniquement de la vie *mal vécue*. Celle qui nous a marquée et qui *fait obstacle à notre développement*. Nous n'oublions pas que nous conservons également en nous les souvenirs d'événements heureux qui nous ont nourris et continuent de nous nourrir. Nous y ferons seulement allusion car ce sont surtout les éléments négatifs qui nous arrêtent.

Rappel sur le refoulement et les attitudes possibles

– L'homme qui habite depuis longtemps la même maison, entasse dans sa cave et son grenier, une multitude de choses qui peu à peu pourrissent, oubliées dans de vieilles malles et cartons. Ce sont des souvenirs de famille auxquels il est « attaché » ; des objets hétéroclites « qui un jour pourraient servir » ; des réserves de toutes sortes « car on ne sait jamais ce qui peut arriver ! », etc.

Enfermé, ce bric-à-brac devient le domaine des mites, des souris et des rats. Peu à peu ceux-ci empoisonnent, rongent et détruisent. La maison entière peut en être infectée.

• L'homme qui part pour un long voyage, et empile vêtements, linge, objet « indispensables », dans de multiples sacs et valises, puis charge le coffre, le siège et la galerie de sa voiture, ralentira forcément sa marche. Dans les chemins difficiles, il risque « de crever », le moteur chauffera et les amortisseurs céderont.

• L'homme qui « fait la fête », mange et boit plus que de raison, pour se distraire, oublier, combler un manque cruel ... se rend malade. Estomac douloureux, tête lourde, cœur écœuré, il ne digère pas ces excès. Et son mal-être demeure, amplifié par le dégoût.

– Nous l'avons dit et nous le rappelons, un jour ou l'autre, nous sommes ces hommes. Plus ou moins. Pendant quelque temps. Pour certains hélas, en permanence.

Sur la route de la vie, nous marchons souvent, chargés, surchargés, ployant sous le poids d'un passé mal intégré, et lourd d'un présent au fur et à mesure mal vécu.

– Dans le grenier et la cave de notre esprit, dans notre mémoire et notre cœur, s'entassent parmi des richesses égoïstement gardées, et qui inutilisées se détériorent, de multiples lambeaux de vie, refoulés et enfouis parce que mal gérés et mal acceptés. Ce sont, pêle-mêle, des rencontres ratées, des amours avortés, des pardons refusés, des épreuves et des souffrances supportées et non portées, etc ... etc ... Monde grouillant qui s'infecte, distillant une foule de sentiments négatifs :

regrets, remords, cafard ; découragement, dévalorisation et dégoût de soi ; jalousie, envie, désirs dénaturés ; violences étouffées, etc ...

– Il faut faire la lumière. Il faut nous libérer. Il faut restituer cette vie gâchée au grand courant de vie, sève qui nous fait fleurir et porter notre fruit. Mais comment ? Beaucoup hélas n'en prennent pas les moyens.

*
* *

– *Certains hommes en effet, n'oublient rien, mais ils enferment tout.* Portes et fenêtres closes, ils s'ingénient à ne rien laisser paraître. Ils font « bonne figure ». Tout ce qu'ils ont vécu reste en eux soigneusement camouflé.

• Soit par décision personnelle, orgueil et illusion d'être fort « ça ne regarde personne » ; « je peux me débrouiller tout seul » ; « m'attarder sur mes difficultés, mes erreurs, mes malheurs ... et mes faiblesses » ...

• Soit parce que « murés » dans le silence, *ils sont devenus incapables de parler* ; car ... ils n'ont personne à qui parler ; ils ne savent pas quoi faire de ces bagages encombrants, et douloureux : « ça, je ne l'ai jamais dit à personne ! », etc ...

Ces hommes-là sont des hommes « cocotte-minute ». Leur couvercle est hermétiquement clos. Ils bouent à l'intérieur. Se brûlent et se consument. C'est du gâchis de vie, et c'est dangereux. Un jour, tout peut exploser !

– *Certains hommes tentent d'oublier* ; ils disent : « C'est le passé ! »

• À coups de volonté ils s'acharnent à chasser ou à écraser tout ce qui bouge encore dans leur esprit, leur sensibilité et même leur corps : « Je n'y penserai plus ! » « Je ne me ferai plus de souci ! » « Je ne souffrirai plus ! » « Je ne pleurerai plus ! », etc ...

• Ou bien, ils s'étourdissent, font n'importe quoi, persuadés qu'une vie nouvelle peut recouvrir une vie passée.

• Quelques-uns même – comme on tasse la terre d'un trou fraîchement rebouché – sautent à pieds joints sur la vie enterrée et coulent

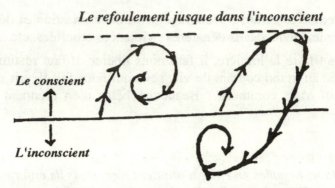

Le refoulement jusque dans l'inconscient

Le conscient

L'inconscient

par-dessus une dalle de béton. Ils veulent nier la vie qui les dérange. Parfois, ils pensent y être parvenus. Ils ne sont plus importunés. Ils n'ont plus de souvenirs. Ils croient les avoir tués. Grave erreur ! C'est que la vie malmenée, refoulée, s'est enfouie plus profondément pour se mettre à l'abri.

Ces souvenirs hélas ont *passé la frontière du conscient*. Ils ne sont pas morts. Ils font le mort. Ils vivent dans l'insconscient. Il faudra creuser plus profond pour les atteindre. Peut-être se faire aider d'un psychologue. À moins qu'un événement violent, un amour bouleversant, une amitié tenace, la rencontre de Dieu ... parvienne à fissurer la dalle ... !

Tous ces hommes vivent, mais mal, et dangereusement. Ils bâtissent leur personne et leur existence sur un terrain mouvant. Comme les baraques des bidonvilles dans les marécages, ils sont « construits sur pilotis ». Un jour, tout peut s'écrouler. En attendant, dans leur sommeil agité ... ils rêveront peut-être quelquefois, de cadavres enterrés.

– *Certains hommes enfin se résignent* : ils portent lourd, en souffrent, mais ne s'en étonnent pas. Ils disent : « C'est la vie ! » S'ils sont chrétiens ils croient juste – mais ils ont tort – d'ajouter pieusement : « Il faut bien porter ses croix. »

Ces hommes sont comme des voyageurs sur une route de montagne. *Sac à dos sur les épaules* ils marchent difficilement. S'ils heurtent des obstacles, ils les ramassent et les mettent dans leur sac. Ils le remplissent ainsi : pierres sur lesquelles ils ont buté ; pierres qu'on leur a lancées ; pierres qu'ils portent pour les autres, etc ...

Ils se couchent avec leur sac à dos rempli ... Eux aussi dorment mal. On le comprend. Il leur aurait fallu « vider leur sac » avant de s'étendre pour prendre un vrai repos. On ne leur a pas dit. On ne leur a pas appris. Il le faudra.

* * *

S'arrêter et prendre conscience

– Si tu refuses, consciemment ou non, de VOIR toute la vie que tu as refoulée, cherches-en d'abord loyalement les raisons. Ce peut être en effet aussi, parce que :

- Tu penses qu'on peut tout oublier,
- Tu tentes de te persuader que ce n'est pas important,
- Tu te crois orgueilleusement capable de porter n'importe quelle charge,
- Tu refuses de reconnaître tes erreurs,
- Tu as peur de souffrir en réveillant de petites ou profondes blessures, etc ...

Dans tous les cas, tu démissionnes alors devant les efforts à fournir, afin de devenir TOI-MÊME, libre et riche de plus de vie ; et tu renonces à t'épanouir ainsi pleinement, en donnant toujours plus.

– Tu ne peux pas revivre le passé. Ce n'est pas en ton pouvoir. Mais le passé s'est inscrit dans ton esprit, ta mémoire, ton imagination, ta sensibilité et même ton corps. Il te constitue. Il fait partie de toi. Que tu le saches ou non, que tu le veuilles ou non, il te conditionne.

Si tu veux devenir authentiquement sujet de ton comportement, il faut d'abord explorer ce passé, pour pouvoir ensuite le dépasser après t'en être enrichi.

– Être fort en effet, ce n'est pas mobiliser à coups de volonté toutes tes énergies, pour nier ou écraser la vie que tu as refoulée, et paraître à tes yeux et aux yeux de ceux qui t'entourent un « homme debout » maître de lui-même ; c'est au contraire, humblement et courageusement :

- soulever le couvercle de ce qui est enfermé,
- déterrer ce qui est enterré,
- mettre à jour tout ce qui, abîmé et blessé, continue de vivre dans ta nuit.

Si tu fermes les yeux devant l'obstacle, tu ne pourras pas le maîtriser pour t'en libérer en le faisant servir.

– Il t'arrive quelquefois de t'asseoir :

- pour feuilleter l'album photos de ton passé,
- projeter les diapositives de tes vacances,
- repasser la cassette audio-visuelle de ton anniversaire, de la fête des amis, de ton mariage, etc ...

Ce sont des moments heureux.

Mais tu ne possèdes pas les photos et les cassettes des mille événements courants de ta vie, surtout des moments douloureux. Ceux que tu as mal vécus.

C'est pourquoi il faut de temps en temps *t'arrêter*. Faire silence. Retarder les images qui défilent dans ta mémoire. Écouter tes voix intérieures *pour prendre conscience* de toute cette vie qui t'habite.

* * *

– Certains de ces souvenirs te sont très présents. Ils apparaissent sans cesse sur l'écran de ta mémoire. Ils s'imposent à toi. Te gênent. Peut-être te font souffrir. Surtout ne les chasse pas !

Puisqu'ils re-surgissent sans relâche, ce sont ceux-là qu'il faut d'abord regarder. Ils sont signes d'événements, de situations, de personnes qui t'ont « marqué » plus profondément que d'autres.

Ils se situent probablement dans un ou plusieurs des créneaux de refoulement, que parmi d'autres, nous avons retenus précédemment (voir pages 49 à 57). C'est-à-dire :

- tout ce qui tourne autour de ta jeunesse et de l'éducation que tu as reçue

• et globalement tout ce que tu as vécu sans l'avoir accepté, intégré ; de toi-même, de tes rapports aux autres, et de tous les événements, petits ou grands, qui ont tissé ta vie.

– À toi de VOIR. Chacun est unique et son parcours différent. Mais
surtout ne tente pas d'échapper. Au contraire, fais face :

• Oui, je n'ai pas accepté ce que je suis : tel manque, telle infirmité ...

• Oui, je n'ai pas accepté mon père ou ma mère ; ce qu'ils sont, leur
comportement envers moi, les difficultés de leur couple, leur sépara-
tion ...

• Oui, je n'ai jamais accepté la façon dont ils m'ont élevé, l'école
où je suis allé, tel ou tel maître ou éducateur et ce qu'un jour ils m'ont
dit ou fait ...

• Oui, je n'ai jamais accepté cette maladie, cet accident, cette chute
morale ; tel échec dans mes études, mes amitiés, mes amours ; l'attitude de telle personne envers moi ; la souffrance et la mort d'un être
cher ...

etc ... etc ...

– Connaître ou re-connaître ce que tu as vécu sans l'avoir accepté
c'est déjà remporter une victoire. Le premier acte d'une reconquête de
toi-même. Car ce qui était sans toi, et se développait sans toi, redevient
quelque chose de toi.

– Lorsque tu décides d'inventorier le contenu d'une malle où s'entassent mille objets, tu découvres d'abord ceux qui sont au-dessus ;
puis les autres en-dessous ; et les autres encore ... jusqu'au fond.

Ainsi tes souvenirs. Ceux qui en premier apparaissent à tes yeux en
cachent de nouveaux, qui eux-mêmes en recouvrent de plus anciens
profondément enfouis.

Prends conscience des uns et des autres ; mais l'un après l'autre, sinon, tu serais submergé.

– Tes souvenirs ne sont pas des objets. Ils sont vivants. De même
que tu ne dois pas tirer sur les mauvaises herbes qui sortent à peine de
terre, pour mettre à jour leurs racines, tu ne dois pas arracher de force

les morceaux de vie que tu aperçois bouger en toi. Tu rouvrirais des blessures et ferais saigner inutilement certaines plaies, sans atteindre ce qui les a produites.

Laisse pousser lentement ce que tu ne peux pas cueillir sans danger !

— Sois sans crainte :

• Si tu es décidé à faire loyalement la clarté en toi-même

• Si tu veux fermement reprendre le pouvoir, sur les forces qui te mènent sournoisement ...

tu peux être certain que peu à peu les souvenirs enfermés sortiront de l'ombre. Les couvercles se soulèveront. Les cadenas sauteront. Car même détournée, abîmée, polluée, toute vie prisonnière tente de s'évader pour retrouver la lumière.

— Si tu crois que Dieu est la Source de cette vie, demande-Lui de t'éclairer par son Fils Jésus Christ. Il a dit : « Je suis la LUMIÈRE du monde ».

Alors, si tu n'as pas peur de ce que tu vas découvrir, et que sincèrement tu veux essayer de tout accepter et de tout Lui donner, Il fera la clarté jusqu'au fond de ton être. Et ta route elle-même sortira de la nuit, car Il a dit également : « Celui qui marche à ma suite, ne marche pas dans les ténèbres ».

— Toi aussi, tu as peut-être, comme nous l'avons dit plus haut, refoulé jusqu'en ton inconscient, certains événements de ta vie, au point de ne plus t'en souvenir. Ceux-ci font en toi quelquefois, des ravages d'autant plus graves, que tu ne peux plus en déceler l'origine. Heureusement, de temps en temps, ils profitent de ton sommeil, pour sortir de leurs cachettes.

Ainsi, comme des enfants désobéissants à leurs parents montent au grenier, fouillent les cartons et les caisses, se déguisent et font les fous, certains de tes souvenirs, bravant tes interdits, s'habillent de mille oripeaux, et la nuit jouent la comédie en tes rêves échevelés.

— Ces rêves ne sont pas innocents. Ils révèlent toujours quelque chose de ton être profond.

Sans te prendre pour un spécialiste, ou un voyant interprète infaillible des rêves, tu peux y déceler – surtout si les mêmes reviennent souvent – les événements, les personnes qui t'ont spécialement marqués, comme les sentiments cachés qui t'animent.

– Croyant, avant de t'endormir, n'hésite pas à demander à Dieu de te faire signe à travers eux. Si tu Lui dis ton entière disponibilité, il t'ouvrira les yeux et t'aidera ensuite, nous le verrons, à intégrer ce que tu as découvert et qui était enfoui.

– Souvent lorsque certains souvenirs remontent à ta conscience tu dis :

- « rien que d'y penser, ça me fait mal »
- « j'en suis encore tout bouleversé », etc ...

et en ton cœur se réveillent doucement ou violemment, de multiples sentiments de toutes sortes, que tu as éprouvés et qui demeurent vivants.

Une fois encore ne te dérobe pas. Tu dois courageusement accepter de *re-vivre*, et donc de *re-sentir*, ce que tu as éprouvé. Car si les événements se sont inscrits dans ta mémoire, ils se sont inscrits plus profondément encore dans ta sensibilité. Là se situent les blessures que tu ne pourras commencer de soigner que lorsque tu les auras mises à jour.

– Prendre conscience des faits qui t'ont marqués, et de leurs conséquences sensibles, est donc une première étape. *Verbaliser* ce que tu as vécu, le couler dans des mots, en est une deuxième très importante.

Certains s'expriment par écrit. Pour eux. Mais le mieux si tu le peux, *c'est de PARLER devant quelqu'un* : ton amour si tu aimes ; un ami ; un prêtre ... Par la parole en effet, tu sors de toi et mets devant toi, et devant un autre, ce qui était enseveli.

Alors commence ta libération !

– Si en parlant « les larmes te montent aux yeux » ne les refoule pas. N'en ai pas honte. Elles ne sont pas le signe d'une quelconque faiblesse, encore moins de lâcheté. Elles sont le sang de tes blessures qui s'écoule enfin *hors de toi*. Et peut-être le pus, si la plaie est envenimée.

Intégrer en acceptant et en assumant pleinement

– À quoi servirait de découvrir les nombreuses pierres qui obstruent la source, si personne ne les ôtait pour libérer le cours d'eau ?

• À quoi servirait de remuer la vase au fond de la rivière, si on ne l'en sortait pour féconder les rives ?

• À quoi servirait de comprendre que c'est tel ou tel aliment qui ne passe pas si on n'aidait pas le malade à le « digérer » et à se l'« incorporer » ?

– Ainsi pour toi. À quoi te servirait :

• de prendre enfin conscience des obstacles refoulés qui bloquent une partie de ta vie,

• de les mettre à jour et d'analyser leurs causes et leurs conséquences,

• de te le dire, et de le dire devant un autre ...

si ces obstacles enfin reconnus, tu ne parvenais pas, non seulement à te libérer de leur pouvoir destructeur, mais aussi à les faire servir à ton développement et à celui des autres ?

* * *

– En face de ton passé courageusement « mis à jour » tu dois prendre la même attitude que celle adaptée en face du RÉEL de ta vie quotidienne (cf. pages 89-91). Car, si les événements de ce passé ont été le RÉEL de ta vie d'hier, ils sont également le RÉEL de ta vie d'aujourd'hui dans la mesure où, refoulés et non pas assumés, ils vivent encore en toi, se développent et mobilisent hélas une partie de tes forces vitales.

– Il te faut donc d'abord passer *de la prise de conscience* que nous demandions précédemment (page 106) :

• Oui, j'ai vécu tels et tels événements

• Oui, j'en ai été marqué, etc ...

à leur plein consentement, c'est-à-dire :

- Oui, je regrette ces événements s'ils sont regrettables
- Oui, je les condamne s'ils sont condamnables

mais je les accepte, tels qu'ils ont été, et j'accepte leurs conséquences.

— Tu ne parviendras pas du premier coup à consentir à tout ton passé, surtout si certains événements t'ont particulièrement perturbé. Ne te décourage pas. Il te faudra plusieurs fois et même souvent, réitérer tes efforts, pour pouvoir enfin prononcer ce « *oui, j'accepte* », qui est le premier pas nécessaire de ta libération.

— Comme le sportif qui mille fois refait les mêmes gestes pour devenir performant, ce sont ces efforts répétés qui façonnent ta personne, te font devenir fort pour affronter, au fur et à mesure, les événements difficiles de ta vie.

— Sois vigilant, car si tu renonces à lutter, te jugeant impuissant, tu finiras par t'habituer à la douloureuse cohabitation avec ton passé enfermé et inutilisé.

Ainsi, certains hommes se tournent et se retournent dans leur monde intérieur. Ils se font souffrir inutilement. Ils s'accusent eux-mêmes ou plus souvent les autres, la société et même Dieu. Ils se plaignent, et tentent de se faire plaindre ... Quelles que soient ces réactions, les événements vécus demeurent en eux, se développent et les rongent comme une tumeur maligne dans la chair de leur vie.

— Pour t'aider à dire « oui », dis-toi :

- Je perds mon temps à refuser les obstacles. Je me blesse en me heurtant à eux ; sans cesse je rouvre et fais saigner les plaies qui ne pourront cicatriser.

- Ou bien : je dépense inutilement une partie de mes forces vitales en tentant d'écraser ces obstacles et de les oublier.

Dans tous les cas, c'est moi qui suis responsable de mes souffrances et de mon anémie car, *c'est moi qui ai le pouvoir de les faire cesser.*

— Si tu es chrétien, sache que Jésus Christ – et nous le redirons – t'attend au cœur de ton effort. Il a pris et porté tous les morceaux de vie ratés par les hommes de tous les temps. Il les a assumés en son Amour infini. Rejoins-Le, et de ton petit oui, uni à son grand OUI, jaillira de ta vie enterrée une VIE neuve, par Lui ré-suscitée.

* * *

– *Assumer*, répétons-le (cf. page 90), ce n'est pas supporter, se résigner parce qu'on ne peut pas faire autrement, c'est *faire sien*, adopter activement, non seulement les actes que nous avons posés librement et leurs conséquences, mais aussi tout ce qui, au point de départ, nous atteint indépendamment de notre volonté.

Les personnes, les événements, les épreuves en tant que tels, ne changent pas, c'est nous qui changeons. Ce qui était malgré nous et que nous subissions, nous le faisons devenir nôtre. *Nous transformons alors ce qui pour nous était obstacle, en nourriture pour grandir.*

– Regarde les branches et les feuilles tombées de l'arbre, elles meurent à ses pieds. Mais elles peuvent devenir terreau pour faire éclore la semence.

• Regarde les pierres sur la route, elles gênent le marcheur, le blessent ou produisent l'accident. Mais ramassées, elles peuvent servir de fondations pour bâtir la maison.

De la même façon, *tous les événements de ta vie passée*, même les plus regrettables, même les plus douloureux, s'ils ne sont pas rejetés, refoulés mais acceptés, peuvent être utilisés pour ton développement et pour enrichir le don de toi aux autres.

– Tu as été blessé par telle ou telle parole ? – Ta blessure t'enseigne l'importance des mots prononcés.

• Tu as été déçu par les gestes d'un proche, ou dégoûté et révolté par ceux d'un inconnu ? – Tu réalises ainsi combien ton comportement envers tes frères peut être décourageant pour eux, voire même profondément déstabilisant.

• Tu as souffert d'une situation d'injustice ? – Ainsi tu sauras plus fidèlement respecter le droit des autres, et lutter avec eux pour le défendre.

• Tu as durement ressenti l'ironie, la dévalorisation, le mépris ? – Tu expérimentes alors que nul ne peut grandir sans le regard bienveillant des autres.

• Tu es honteux, humilié, découragé devant tel faux pas ou chute personnelle ? – Ainsi prends-tu conscience de ta faiblesse, et de la nécessité de te battre pour suivre une route que tu désires droite.

• Tu te désespères d'un abandon, d'une amitié ou d'un amour perdu ... ? Tu comprends alors douloureusement la valeur de la fidélité.

• Tu pleures un être cher trop tôt disparu ? – Tes larmes t'apprennent le prix de la vie et l'importance de ne pas gaspiller la tienne.

• etc ... etc ...

C'est ainsi que les obstacles rencontrés, à partir du moment où ils sont acceptés, libèrent en toi des forces vives enfermées qui, récupérées, *te permettent de transformer en positif ce qui était négatif.*

– Peut-être penses-tu : Ce n'est pas d'événements, de personnes, de paroles, de gestes ... que secrètement j'ai le plus souffert et que je souffre encore, mais de manques, de vides, d'absences :

• Absence de qualités que j'aurais désiré avoir, d'étude que j'aurais voulu faire, d'éducation que j'aurais voulu recevoir, d'expériences humaines que j'aurais voulu vivre ...

• Absence d'un père, d'une mère, d'un époux, d'une épouse, d'un être cher ...

• Absence d'attention, de considération, de tendresse ...

• Et pour tout dire, *absence d'amour* : amour gâché, amour perdu, amour inconnu parce que jamais rencontré, expérimenté, vécu, dans un cœur qui a faim ...

De ces vides, quelquefois cruellement ressentis, tu dis alors : « Rien ne peut naître ! »

Tu te trompes, car ce sont d'eux que naît ... *ta souffrance*, et comme la médaille gravée révèle l'effigie en pleins ou en creux, *la dimension de cette souffrance mesure exactement la profondeur de ce qui t'a manqué.*

Ainsi, toute épreuve « d'absence » que tu ne peux ni éviter, ni réduire, peut devenir elle aussi, si tu l'assumes, un douloureux mais très sûr enseignement de vie.

– N'envie pas trop vite les habitués du bonheur. Ceux-ci ne mesurent pas toujours son prix, car dans un cœur trop lisse, les semences de joie souvent ne pénètrent pas assez profondément, pour s'épanouir pleinement.

Si ton cœur à toi, a été cruellement ravagé par les épreuves, le plus petit grain d'amour te comblera. Il développera de solides racines dans tes terres labourées et produira des fleurs et des fruits, qu'aucune tempête ne pourra arracher.

– Chrétien, écoute ton Seigneur. La foi te permet de vivre plus profondément et plus efficacement la ré-intégration de ce que tu as refoulé. Car si ce n'est pas Dieu – redisons-le – qui « t'envoie » les événements de ta vie, c'est lui, par son fils Jésus Christ qui, attentif et aimant, te propose *toujours* de les faire servir.

Aussi, devant chaque obstacle et blessure enfouis, demande-Lui :

• Qu'est-ce que tu me dis à travers cet événement ?
• Qu'est-ce que tu attends de moi ? ...

Si tu es fidèle, ton effort d'homme pour libérer ce qui était enfermé et le faire fructifier, sera une réponse d'amour à l'AMOUR qui t'invite. Alors, grâce à Lui, pas un des moments de ta vie refoulés, ne resteront inféconds.

* * *

Orienter vers le don

– Comme pour la vie défoulée et peu à peu récupérée (cf. pages 91-97), il ne suffit pas de prendre conscience et d'accepter ce que tu as refoulé, mais il faut *tout* donner : l'événement lui-même ; le souvenir que tu en gardes et les personnes concernées ; les conséquences de cet événement pour toi et pour les autres ; ce que tu as ressenti et que tu ressens encore ; les sentiments et la souffrance engendrés ; et l'effort fourni pour transformer en fruits nourrissants ce qui était déchets enfouis.

– Celui qui peu à peu parvient à ce don total se guérit de ses blessures. Il lui reste certes les cicatrices, mais il peut en être fier. Elles sont la marque de ses combats et ses victoires. Il est devenu plus « homme ».

– Tu dois donner TOUT, oui, mais à quoi ? à qui ?

• *au fleuve de la vie* et par lui à tous les hommes, si tu ne crois qu'à la vie – et c'est déjà beau ! – vie qui construit l'univers, et anime tous tes frères pour ne former avec eux qu'un seul corps-humanité.

• *à Dieu*, par Jésus Christ, si tu crois qu'il est Source et Fin de cette vie, et que c'est la puissance de son AMOUR inscrite au cœur de l'histoire, qui restaure et fait pousser tout homme et toute chose. Nous en reparlerons dans la dernière partie.

– Comme on fait sauter le barrage pour permettre à la rivière de reprendre son cours.

• Comme l'eau stagnante retrouve enfin le courant qui la conduit vers la mer ...

Donner toute la vie refoulée, c'est restituer la part de forces vitales que tu retenais captive, en l'orientant vers le service du Monde et de tes frères : depuis le sourire, le mot aimable, la poignée de main, l'attention quotidienne à tes proches, etc ... jusqu'aux multiples sortes d'actions à leur service, l'engagement dans la société, etc ...

– Toute vie refoulée est condamnée à l'anémie, peut-être même à la mort dans ta prison. Plus grave encore, c'est une vie volée aux autres.

Au contraire, toute vie récupérée et par toi redonnée, ré-anime le monde et nourrit tes frères, comme tu as été nourri par ceux qui t'ont précédés.

– Ce ne sont pas seulement les mauvais souvenirs que tu dois reconnaître et donner, mais également les bons. Car si tu te refermes sur eux, ils se transforment rapidement en regrets. Ainsi les cœurs fermés pleurent leur passé : « c'était le bon temps ! »

Partage donc ta joie, tu ne la perdras pas ; au contraire, tu la doubleras du bonheur de voir, grâce à toi, les autres plus heureux.

– Au fur et à mesure que tu parviendras à reconnaître, assumer et donner ce que tu as refoulé :

• Tu deviendras toi-même et commenceras ou recommenceras à t'aimer. Car ce qui est enfoui et se détériore en toi n'est pas toi, et gêne ta croissance. Libéré, tu auras enfin de la place pour toi chez toi, et ton vrai visage apparaîtra enfin.

• Tu deviendras plus fort, car ce qui alourdissait ta marche, ce sont les charges qu'indûment tu portais. Libéré, tu partiras allégé sur ta route, pèlerin sans bagages.

• Tu te redresseras et t'épanouiras – *peut-être même physiquement* – car la vie retenue, à nouveau irriguera tout ton être, et même si le souvenir et la souffrance demeurent, ils ne feront plus obstacle, car la paix s'installera dans ton cœur purifié.

* * *

– Si tu dois peu à peu intégrer ton passé enterré, c'est quotidiennement que tu dois également intégrer ton présent. Car sur la route de la vie, à quoi te servirait de t'arrêter de temps en temps pour vider ton sac trop chargé, si le lendemain tu recommencais à le remplir ? C'est pourquoi ta démarche devant les événements de ta vie refoulés :

• prendre conscience,
• accepter et assumer,
• puis tout donner,

ne doit pas être seulement un exercice temporaire pour te désaliéner, mais *une attitude permanente à acquérir* pour vivre positivement ta vie de chaque jour (cf. pages 87-91).

– Tu te dis : s'il faut sans cesse penser à tout cela pour bien vivre, je n'y arriverai jamais ! – Rassure-toi !

N'imagine pas que devant chacun des événements qui t'interpellent journellement, tu dois t'arrêter longuement pour analyser et vivre chaque étape de son intégration. Si nous avons décomposé et détaillé cette

114

démarche, c'est afin d'en faire comprendre la structure et l'importance pour ton développement. Mais si tu t'entraînes à l'appliquer avec persévérance, elle deviendra rapidement un réflexe libérateur.

– Heureusement, ce ne sont pas toujours de grosses difficultés que tu rencontreras sur ton chemin, mais une multitude de petits événements : une mauvaise nouvelle, un mot qui a blessé, un devoir à rendre, un travail qui pèse, un plat raté, les caprices d'un enfant, etc ...

Au lieu de t'arrêter en maugréant pour ramasser l'obstacle et le mettre dans ton sac, tu prendras l'habitude de t'arrêter certes, mais seulement pendant quelques secondes, pour le donner le plus rapidement possible.

– Sois modeste, car nous l'avons dit :

• On ne bâtit pas une maison en posant sa première pierre.
• On ne passe pas le baccalauréat en suivant un seul cours.
• On ne fait pas grandir un homme avec un seul effort ...

C'est la répétition de ces gestes qui fait le résultat.

Ainsi, tu t'apercevras souvent que ce que tu pensais avoir donné demeure toujours en toi. Il te faudra redonner et redonner encore ... jusqu'au moment où ton cœur sera enfin libre.

– N'oublie pas ! Être fidèle, ce n'est pas suivre sa route toute droite sans jamais s'arrêter, ni quelquefois s'égarer ou tomber ; c'est toujours recommencer.

– Si tu veux être efficace, essaye de prendre chaque soir un rendez-vous avec toi-même. Visionne rapidement le film de ta journée. Arrête-toi sur l'image de ce qui t'a « marqué », même et surtout négativement, et après avoir fait loyalement l'exercice de prise de conscience et d'acceptation, tente de tout offrir au courant de la vie. Car cette vie qui passe par toi te dé-passe, comme le fleuve puissant rejoint toujours la mer, emportant avec lui les déchets que les hommes y ont jeté.

– Ainsi, sois en sûr :

• quand tu supporteras de moins en moins que certains événements de ta journée ne soient pas chaque soir, en partie assumés,

• quand tu auras décidé fermement, en ce moment privilégié, de laisser remonter à ta conscience le souvenir d'événements passés que tu n'as pas encore pleinement acceptés,

• quand enfin, systématiquement et autant de fois qu'il le faudra, au cours de ce rendez-vous capital au bord de ta nuit, tu donneras et redonneras tout ce qui te gêne ...

Alors de plus en plus souvent tu t'endormiras dans la paix et te réveilleras chaque matin riche de toutes tes forces vitales pour vivre une journée neuve.

* * *

Vivre dans la foi cette orientation dans le don

– Chrétien, nous l'avons dit, tu es heureux de croire à Jésus Christ, mais tu es d'autant plus responsable. C'est dans la foi que tu dois vivre la démarche que nous venons de décrire. Ainsi, pour toi, ce n'est pas seulement au fleuve de vie que tu restitues ce que tu gardais au fond du cœur, mais au Seigneur. Tu sais qu'Il t'accompagne toujours amoureusement, prêt à recevoir entre ses mains ce que tu as vécu et que librement tu Lui offres.

– Pour tout Lui donner, tu dois tout posséder. C'est pour cela qu'il te faut d'abord accueillir et assumer pleinement l'ensemble des événements qui ont tissé ton passé, comme ceux qui se présentent à toi aujourd'hui. C'est seulement quand ils sont devenus tiens, que tu peux Lui dire authentiquement : je Te les donne !

– Certains épisodes sont quelquefois trop lourds à soulever. Ils demeurent alors au fond de toi. Ils te pré-occupent et t'occupent. Tu ne peux pas les donner car tu n'as même pas la force de les porter. Pourtant tu le désires. Mais quand tu essayes, tu échoues et tu te décourages.

Comme un grand frère qui – sans prendre sa place – aide son cadet à transporter une charge au-dessus de ses forces, le Seigneur t'aidera si tu lui demandes. La toute puissance de son AMOUR, accueillie *au cœur de ta_liberté*, te permettra, *avec Lui* et par Lui, de « soulever des montagnes ».

– Jésus Christ a besoin de *toute* ta vie ; celle que tu disperses (défoulement) et celle que tu gardes (refoulement) ; celle qui est belle et riche, pour l'offrir à son Père, et celle qui est polluée, dénaturée, pour lui en demander pardon et la restaurer.

Ce que tu ne veux pas, ou ne peux pas encore Lui donner, Lui non plus ne peut pas le donner. Il attend patiemment que tu Lui « abandonnes ».

– N'oublie surtout pas « qu'abandonner » au Seigneur, chaque instant et événement de ta vie, et « t'abandonner » toi-même, ce n'est pas renoncer et démissionner de tes responsabilités d'homme, mais c'est *te livrer entièrement à son AMOUR*, afin de toujours vivre et agir avec lui.

Pour le chrétien, ce désir et cette volonté persévérante de tout Lui remettre entre les mains, après en avoir pris conscience et l'avoir assumé transforme le réflexe dont nous parlions plus haut, en ce que certains grands spirituels appellent « le Mouvement d'abandon »[2].

• Le renoncement à soi-même n'est pas la destruction de soi-même mais le renoncement à garder la vie pour soi.

• Renoncer à soi-même, ce n'est pas se détruire, c'est donner et se donner.

– Dans tout le fatras de choses bonnes, moins bonnes, ou franchement mauvaises, que tu as à donner, il y a beaucoup de souffrances et de péchés. Or, comment peut-on, comme on le dit souvent, les « offrir » au Seigneur ? On offre des fleurs, et non pas des déchets !

Une fois encore, il faut bien comprendre. Ce ne sont pas les déchets en eux-mêmes (péchés et souffrances) que tu dois Lui offrir, mais *le supplément de confiance et d'amour* nécessaire, pour regarder

---

2. Voir, du Père Victor de la Vierge : *Pour un réalisme spirituel*, tome 2, *Le Mouvement d'abandon*, Éd. du Lion de Juda.

loyalement, accepter profondément et Lui abandonner ces morceaux de vie qui pourrissant en ton cœur et celui de tes frères, génèrent directement ou indirectement des souffrances multiples.

Si tu abandonnes tout à Jésus, il le ramasse et le brûle. Ce n'est pas en effet le bois mort qui donne la chaleur et la lumière, mais la flamme. Ce n'est pas la souffrance qui sauve, mais le feu de son AMOUR ! Dans la nuit de son tombeau il ne restera même plus la cendre de son corps !

* * *

— Rien ne réjouit davantage les parents de la terre quand dans le calme du soir, leurs enfants racontent leur journée et dévoilent leurs chagrins.

• Rien n'apaise plus les enfants quand, ayant tout confié à leurs parents et surtout leurs « grosses peines », ils reçoivent d'eux un baiser affectueux avant de s'endormir.

Comment ne pas croire qu'il en est ainsi pour nous qui avons un Père qui nous aime plus que tous les pères de la terre ? Pourquoi ne nous dirait-il pas, lui aussi : raconte-moi ta journée et donne-moi tes soucis ? Et pourquoi son Amour reçu ne serait-il pas pour nous, le plus merveilleux des baisers ?

— Pour toi, ton « rendez-vous du soir » – ou d'un autre moment – c'est celui de la prière. Là, Dieu t'offre l'occasion de lui remettre enfin ce que tu ne lui as pas encore abandonné, comme tout ce que tu viens de vivre dans ta journée.

Sois fidèle. Il t'attend !

— Tu dis souvent : j'essaye de me mettre en face du Seigneur et de lui parler, mais très vite « je pense à autre chose ».

Ne t'en plains pas. Car *tout* ce qui se présente alors à ta mémoire, ta conscience et ton cœur : les personnes rencontrées, les événements vécus, les sentiments éprouvés, etc … etc … sont autant de signes qu'ils sont encore en toi, vivants, préoccupants, et à travers eux, autant d'invitations du Seigneur à les lui donner.

N'essaye pas, par de belles formules ou de beaux sentiments de recouvrir et faire taire cette vie grouillante qui t'habite. Elle est, au moins au début, la matière première de ta prière. *Prends conscience, accepte, et donne*.

– Rien de la vie offerte ne sera perdu. Nous le disions plus haut. Cette vie te sera redonnée au centuple. Quand Jésus sur la croix, a dit à son Père : « Je remets tout entre tes mains », il lui a remis *sa vie, avec la tienne*, et celle du monde entier. Le Père a tout accepté, et trois jours après, lui a tout redonné transfiguré, ressuscité.

Tu n'étais pas là pour lui offrir ta part. Il a besoin aujourd'hui que, librement, tu la lui donnes, pour qu'à son tour il te la redonne, totalement rénovée par son AMOUR.

– Peut-être dis-tu aussi : j'essaye d'abandonner au Seigneur tout ce qui m'habite, me tourmente et quelquefois m'obsède ... mais sans cesse tout revient et ma mémoire et mon cœur sont à nouveau encombrés !

Recommence à donner, et recommence encore ... Ta prière souvent ne sera que cela. Mais rassure-toi, c'est une très belle prière, car le Seigneur verra ton effort. Un jour, délicatement, il prendra lui-même ce que tu désires sincèrement lui abandonner, mais que tu ne peux encore détacher de toi pour lui offrir.

– Tu te plains également souvent du silence de Dieu : « Je lui parle, il ne répond pas ! »

Tu as tort. Car il parle et *te parle*. Certes, il n'est pas bavard. Ce sont les hommes qui le sont. Lui, pour s'exprimer, n'a pas besoin de beaucoup de mots, car chacun d'eux est chargé d'une puissance d'amour infinie. Ne dis-tu pas à la messe, comme dans l'Évangile, « Dis seulement *une* parole, et je serai guéri ! »

– Si tu n'entends pas Dieu, c'est qu'il n'y a pas assez de place pour lui à l'hôtellerie de ton cœur, et qu'en toi le vacarme de la vie enfermée, couvre encore trop souvent sa voix. Mais si tu persévères à vouloir tout donner, de temps en temps, puis de plus en plus souvent, et de plus en plus rapidement, s'installeront en toi des espaces de désert et de silence. Alors tu expérimenteras que ce désert est habité, et que le silence parle...

Et dans la foi, tu « LE »reconnaîtras.

– N'aie pas peur de te tromper. Il est vrai que certains confondent présence de leur Seigneur avec « découvertes intellectuelles », « émotions et sentiments religieux ». Ceux-ci ne sont que des reflets de lumière et non pas le Soleil. Tu en bénéficieras. Accueille-les et dis merci. Mais donne-les aussitôt, car ils ne sont que chemins, et la RENCONTRE est au-delà... dans le désert et le silence.

– Fais Lui confiance. Pour t'aider dans la nuit, Il te donnera quelquefois un signe de sa PRÉSENCE. Une douceur, une joie incomparable un instant t'envahiront tout entier au point de faire naître sur ton visage un sourire qui ne viendra pas de toi. Alors, nourri d'Amour, tu te tourneras immédiatement vers tes frères, car *il n'est pas d'authentique RENCONTRE avec LUI, qui ne doive leur servir.*

*
* *

En résumant et concluant provisoirement cette première partie, « *L'HOMME EN RELATION AVEC LUI-MÊME* », nous pouvons dire :

L'homme :

• qui a pris conscience des structures qui le constituent, ainsi que de leur hiérarchie : le physique, le sensible, le spirituel,

• qui ne privilégie, ou ne méprise aucun de ses « étages », au point de développer l'un anormalement, au dépend des autres, et qui refuse de se laisser mener par aucun d'eux,

• qui, au point de départ, accueille sans condition, la vie qui lui parvient « d'ailleurs » et anime tout son être, à travers chacun de ses « niveaux »,

• qui aime et respecte ses « forces vitales » ; qui tente fidèlement de récupérer celles qui s'égarent dans le défoulement, comme celles qui stagnent dans le refoulement, afin d'en prendre le contrôle et de s'en enrichir, en les « intégrant » dans toute sa personnalité (son « je ») ...

• qui enfin, ayant ainsi humanisé, personnalisé et pour le croyant, grâce à Jésus Christ, divinisé le maximum de ses puissances, s'efforce de les orienter vers le don aux autres et à travers eux, vers Dieu ...

Cet homme se construit chaque jour. Il fait peu à peu l'unité de son être profond, devient enfin « lui-même », unique et donc irremplaçable.

De plus en plus riche de toutes ses forces – et plus libre puisque de moins en moins dépendant d'elles – il peut s'engager au maximum dans chacune de ses démarches, qu'elle soit spirituelle, affective, ou physique. Il augmente ainsi considérablement l'influence de sa présence, et l'efficacité de ses actions.

L'homme unifié et intégré

Enfin, toujours plus apte à se « recueillir » et à orienter toute sa vie dans le don, il permet à celle-ci de réaliser ce pourquoi elle est faite : porter du fruit au cœur des autres et du monde.

* * *

Rappelons une fois encore, que cette construction s'articule à tous ses niveaux *en même temps* et qu'elle est un travail de longue haleine. Celui de toute une vie. Toujours à parfaire, quelquefois à refaire.

C'est cet effort persévérant qui fait la grandeur de l'homme, le seul vivant à pouvoir conduire librement sa propre création et tenter de la pousser à son plein épanouissement.

* * *

... Mais un homme *seul* si bien construit intérieurement soit-il, n'existe pas. *Il ne peut pas exister*, pas plus qu'une main, une tête, un cœur, etc ... ne peuvent exister seuls. Tout homme en effet est une parcelle d'univers reliée à tout l'univers ; un membre de l'humanité relié à toute l'humanité. C'est dans et à travers ses relations qu'il vit et se développe[3].

C'est pourquoi, après avoir réfléchi sur :

la dimension intérieure de l'homme

nous étudierons maintenant, ce que nous appelons :

ses dimensions horizontales : vers l'univers, vers l'humanité.

* * *

Nous commencerons par sa DIMENSION VERS L'UNIVERS

en distinguant :

• Ses relations avec la nature, jusqu'à l'univers tout entier.

• Ses relations avec l'univers transformé, aménagé (ou détérioré) par l'intervention collective de tous les hommes.

• Ses relations avec tous les autres hommes.

---

3. Et pour le croyant, à travers sa *dimension « verticale »*, dans la relation avec la Source de sa vie : Dieu. Nous étudierons cet aspect capital dans la dernière partie de ce livre.

Deuxième partie

L'HOMME ET SA DIMENSION HORIZONTALE

L'homme en relation avec l'univers

Ainsi, nous venons de le dire et nous allons y réfléchir maintenant, un homme ayant intégré toutes ses forces vitales, les ayant fait devenir siennes et les ayant orientées vers le don, non seulement ne serait pas achevé, mais tel quel ... ne pourrait pas exister.

En effet, l'homme ne vit – c'est le premier aspect de sa dimension horizontale – *qu'en lien avec la terre* et le cosmos d'où il est sorti, et qui chaque jour le nourrissent.

Précisons cependant que nous ne pourrons noter au cours de ce chapitre et du suivant : « *L'homme en relation avec l'univers, transformé et aménagé par l'intervention collective de tous les hommes* », que quelques réflexions de base ouvrant de grandes perspectives qu'il ne nous sera malheureusement pas possible de développer dans le cadre restreint de ce livre.

Mais d'abord il est bon de revenir sur la place du corps, dans la construction de l'homme.

* * *

Place du corps dans la construction de l'homme

– L'homme vient de naître. En gestation depuis plusieurs milliards d'années, son corps – parcelle vivante d'univers ensemencée d'esprit – un jour s'est redressé.

Animé par l'esprit, l'homme sut alors qu'il existait, qu'il ressentait, qu'il pouvait faire des choix et peu à peu s'organiser en « société » pour défendre et développer sa vie. Il commençait son long et lent développement. Il n'avait pas fini de grandir !

– Toi non plus, aujourd'hui, tu n'es pas achevé. Encore lourd de l'argile dont tu as été pétri et qui chaque jour te nourrit, tu es l'un des fruits étonnés de ces laborieuses épousailles entre terre et esprit.

Ni corps sans esprit, ni esprit sans corps, pour être pleinement HOMME tu dois réussir cette difficile union de l'un et de l'autre.

– Or, tes relations avec cette part d'univers qui est ton corps, ne sont pas toujours idylliques. Il ne faut pas s'en étonner puisque celles-ci ne sont pas données toutes faites, mais à faire.

Ainsi, nous avons dit (cf. L'homme qui marche sur la tête – page 34) :

• Que certains hommes font de leur corps un dieu, et ils l'adorent.

• Que d'autres le laissant « prendre le pouvoir », celui-ci devient leur maître et eux leurs esclaves.

• Que d'autres encore, le méprisent, s'en méfient, en ont peur, tentent de refouler ces énergies vitales, ou submergés par elles, ne parviennent pas à les canaliser, etc ...

Et toi, comme tous, sans être définitivement mené par ton corps, tu expérimentes souvent, entre autres par la fatigue, la maladie et la souffrance physique, combien tu es *dépendant* de lui :

• Reposé, en pleine santé ; « en forme » ; « bien dans ta peau » ; ... tu as de belles idées – tu es aimable avec celui qui se présente – tu t'actives dans ton travail, etc .. Et croyant, tu pries aisément.

• Au contraire, fatigué, souffrant de maux d'estomac, de tête, de ventre ... tu as beaucoup de mal à te concentrer – les autres t'énervent – ton travail n'avance pas, etc ... Et croyant, tu as de la peine à prier.

• Sans parler de douleurs physiques extrêmes, qui hélas un jour peuvent t'arracher ce cri terrible et tellement significatif : je souffre ... « comme une bête ».

– Une fois encore, si tu veux être un HOMME, arrête-toi. *Prends conscience* de cette dépendance, et au point de départ *accepte-là, telle qu'elle est*, différente selon ton tempérament, ton éducation, ta santé, et surtout ta progression dans la maîtrise de toi-même et de ta vie.

– Si tu n'acceptes pas cette dépendance, tu ne pourras pas la *transformer en fructueuse collaboration*. Car si ton corps n'est ni ton dieu, ni ton maître, il est ton indissociable compagnon. Les chrétiens diront ton « compagnon d'éternité »[1].

– Sans ton corps, tu ne serais plus toi, car avec lui tu ne fais qu'un. C'est pour cela que tu ne peux pas faire de cette union une cohabitation à contrecœur, ou un mariage de raison. Ce serait invivable. Tu dois en faire un mariage d'amour ... « pour le meilleur et pour le pire ».

Pour t'épanouir sainement, il te faut donc, non seulement prendre conscience et accepter la relation avec ton corps – que pas plus que la vie tu n'as choisie – mais tu dois *aimer ce corps qui est le tien*, c'est-à-dire le respecter et vouloir son plein développement.

– Ce qui est vrai pour toi, l'est également pour tous les hommes. Eux aussi ne font « qu'un » avec leur corps. Être fraternel avec tous c'est donc, non seulement accepter le corps de chacun, mais aussi le respecter et vouloir son développement comme tu le veux pour le tien.

• Ainsi, si tu méprises ton corps ou celui de ton frère, tu « te » méprises ou « le » méprises.

• Si tu ne respectes pas ton corps ou celui de ton frère, tu ne « te » respectes pas ou ne « le » respectes pas.

• Si tu maltraites ton corps ou celui de ton frère, tu « te » maltraites ou « le » maltraites.

• Si tu obliges ton corps ou celui de ton frère, à faire ce pour quoi il n'est pas fait, tu « te » déstabilises ou « le » déstabilises, etc ...

* * *

– Aimer ton corps, nous l'avons dit, mais il faut le redire (cf. L'homme défoulé), ce n'est pas le laisser vivre « inconsciemment », indépendamment de « toi », et ne se développant qu'à partir de ses pulsions instinctives. Bien au contraire. Si ce corps que tu habites, et avec

---

1. En effet, pour les chrétiens, il n'y a pas « d'âme » sans corps. Au-delà de la mort physique nous le dirons, ce n'est pas seulement « l'âme qui monte au ciel », mais l'homme tout entier, avec son corps, transfiguré, spiritualisé, celui-ci étant parvenu à sa pleine maturité de « corps spirituel », comme dit saint Paul.

Le corps d'un "je"
c'est-à-dire
corps personnalisé

lequel tu ne fais qu'un, te sert grandement puisqu'il te permet d'exister, toi aussi, tu dois le servir, et de la façon la plus belle qui soit : en le prenant en main comme nous le disions, dans les grands bras du « je ». C'est-à-dire qu'en l'assumant par ton esprit, et l'orientant par ta volonté, tu « l'humanises ». Tu le fais devenir, avec toi, grâce à toi, un HOMME.

– Plus encore, et c'est là, la belle et si difficile œuvre de ton alliance avec lui, par tes efforts répétés d'intégration de toutes tes puissances vitales (cf. L'homme intégré) tu lui permets d'être, non seulement le corps d'un homme indifférencié, mais un corps *personnalisé*. Par « toi », il devient corps unique et irremplaçable et non pas interchangeable[2].

* *

– *Pour le chrétien*, c'est Dieu qui d'un regard d'amour a ensemencé d'esprit la « poussière » dont nous sommes faits.

Ainsi, l'homme est le fruit de l'Amour de Dieu qui a pris chair dans le ventre de la Terre, comme le petit enfant – « fait à l'image de Dieu » – est le fruit de l'amour de ses parents qui a pris chair dans le ventre de sa mère.

D'où l'immense dignité de l'homme et de *son corps*, qui est le lieu originel de la Rencontre de la matière et de « l'Esprit de Dieu qui planait sur les eaux » comme dit joliment le poème de la Genèse[3].

– Le chrétien, c'est celui qui croit en ce regard d'Amour sur lui, et en cette présence fidèle de l'Esprit en lui, qui le font exister.

---

2. C'est pourquoi, dans un véritable amour, le don de son corps à un autre, est le don de tout son être, corps et esprit, indissolublement liés. Tenter de les dissocier, c'est faire éclater l'Homme, le réduire peu à peu en morceaux, et donc le détruire.
C'est pourquoi aussi, dans un tout autre ordre d'idées, ce n'est pas d'abord à cause de leur foi en Jésus Christ, que les chrétiens rejettent la ré-incarnation, mais *d'abord* à cause de *leur foi en l'Homme*. Car nul ne peut emprunter un autre corps que le sien. Sans « son » corps, l'Homme n'est plus « lui ».
3. Genèse 1-2.

Peu à peu il découvre alors, nous y réfléchirons plus loin, que *son corps est temple de Dieu, membre vivant de Jésus Christ.*

– Si l'homme, par son esprit, sa conscience, sa liberté et sa capacité d'aimer est fait « à l'image de Dieu », Jésus, Fils de Dieu est fait, par son corps, à l'image de l'homme. Son Père l'a voulu « en tous points semblable à nous ». Tout corps d'homme, nous dit donc quelque chose de Lui. Et Lui par son amour infini, s'identifiant à chacun d'entre nous, pourra nous dire un jour, dans la Lumière : *Ce corps* de ton frère que tu as nourri, soigné, vêtu, etc ... c'était MOI[4].

Assumer la vraie dimension du corps : l'univers

– Ton corps, comme celui de tous les hommes, dépasse de beaucoup les quelques kilos de matière vivante, habités et animés par ton esprit. Il est relié, depuis le commencement des temps à tout le cosmos : comme tu n'existerais pas sans tes liens avec ton corps, lui n'existerait pas sans ses liens avec l'univers. En effet :

• Qu'est-ce qui a tissé ce corps qui est tien ? Ta mère, certes.

• Mais avec quelles fibres l'a-t-elle tissé ?

– Avec les fibres de l'univers entier : la terre, l'air, l'eau, le soleil ...

Ainsi, tu es le fils de ta mère, mais bien au-delà, comme tous les hommes et avec eux, tu es par ton corps, fils de la Terre-mère.

– La terre n'a pas seulement offert à ta mère la matière première indispensable pour tisser ton corps, elle te permet chaque jour de l'entretenir et le faire grandir. Car :

• si tu arrêtes de respirer
• si tu arrêtes de boire et de manger

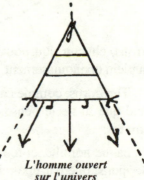

L'homme ouvert sur l'univers

———————
4. Matthieu 25-31 et suivants.

• si tu arrêtes de t'exposer aux rayons de la lumière ... tu meurs.

Autrement dit, pour vivre, tu as absolument besoin de l'air, de l'eau, du soleil ... et pour en finir, du Cosmos tout entier.

« Il n'y a pas une étoile au ciel qui ne soit nécessaire, dit le poète ». Ce n'est pas seulement de la poésie. Ta Mère-Terre est aussi ta *Mère nourricière*, comme elle l'est pour tous tes frères, aujourd'hui, et jusqu'à la fin des temps.

– Tu ne peux donc pas dire, à strictement parler : mon corps est à moi. En effet tu n'es pas, *individuellement*, propriétaire de l'air, de l'eau, de la terre ... de l'univers avec lequel il a été fait et grâce auquel tu le développpes *en le renouvelant chaque jour*. Cette matière première de ton corps est le *bien commun de toute l'humanité*. Nous le

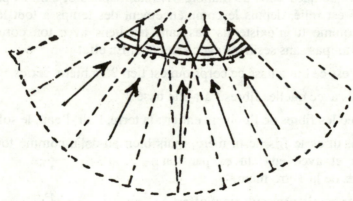

L'univers est
à tous

verrons, chacun doit pouvoir y puiser et s'en nourrir, pour parvenir à son plein épanouissement.

– Ton corps, comme celui de tous tes frères est donc infiniment plus grand que tu ne le penses. Il est riche de son immense arrière-pays : l'univers.

Chaque homme, et tous ensemble, nous n'existons et nous nous développons, que par une relation étroite et permanente avec cet univers. *Celui-ci est le Corps Total de toute l'humanité*, d'hier, d'aujourd'hui et de demain.

– L'enfant prend peu à peu conscience qu'il a un corps, que ce corps est le sien et qu'il se transforme en se développant. Pour grandir pleinement équilibré, il doit l'accepter, le respecter et l'aimer.

Ainsi les adultes, individuellement et tous ensemble, ne peuvent se connaître, se comprendre et s'épanouir harmonieusement, s'ils ne découvrent la vraie dimension de leur « Corps Total », et s'ils ne cherchent à le connaître pour vivre avec lui une saine et fructueuse relation.

– Individuellement, hélas, beaucoup d'hommes n'ont découvert de la terre, que le quartier ou la ville qu'ils habitent. Beaucoup n'aperçoivent le ciel qu'entre les tours de leurs HLM. Beaucoup n'ont jamais vu la montagne, la mer, les forêts ... que sur l'écran de télévision, les illustrations de leurs livres d'école ou les affiches publicitaires. Ces hommes sont mutilés d'une partie de leur être.

La « découverte de la nature » est un élément essentiel du développement de l'homme.

– Il ne s'agit pas seulement de connaître, mais d'apprécier et de savoir contempler cette nature. Beaucoup d'hommes, parce qu'ils n'en ont pas eu l'occasion ou que personne ne leur a appris, ne savent pas admirer une fleur, un coucher de soleil, le chant d'un oiseau ... Ils sont handicapés, tel un vivant dont l'un des sens atrophié ne laisse plus passer la vie.

– Collectivement, des hommes commencent seulement d'explorer l'univers. Les scientifiques de tous ordres dont nous admirons les découvertes ne font que balbutier, face aux secrets et aux divers fonctionnements de la matière et de la vie. Devant les chercheurs s'ouvre à l'infini, un immense champ de connaissances qu'ils doivent conquérir pour le *partager avec tous*.

Ensemble, les hommes n'auront atteint leur taille adulte, que lorsqu'ils auront pris possession, au moins par cette connaissance, de la terre et de l'univers qui leurs sont donnés et qui « fait Corps » avec eux.

– Ainsi, comme un arbre prend son essor au fur et à mesure que ses racines pénètrent profondément dans le sol tu dois non seulement, intégrer toutes tes forces vitales « intérieures », mais aussi t'ouvrir de plus en plus à « la nature ». En développant tes relations avec elle, tu accueilles la sève qui te nourrit et tu fais grandir ton corps au-delà de ses limites individuelles.

– Par ton esprit, tu structures et modèles la part d'univers dont tu es directement responsable. Tu l'humanises et lui donnes un Visage.

Grâce à tous les hommes tes frères, avec toi « ensemenceurs d'esprit » par la connaissance et l'action, c'est l'univers entier qui doit prendre Corps et progresser à travers l'histoire, vers son épanouissement définitif.

– L'univers a donc besoin de toi, et de tous car :

• il est immensément riche, mais il ne connaît pas sa richesse,
• il est beau, mais il ne le sait pas,
• il est vivant, mais il n'est pas maître de sa vie,
• il se développe, mais ne sait pas pour quoi ? pour qui ?, ...

Mystérieusement drapé dans sa beauté sauvage, il attend chaque jour d'être épousé par l'homme. Celui-ci est l'axe spirituel qui lui donne son sens, en lui permettant de réaliser pleinement ce pour quoi il est fait.

– *Pour le chrétien*, l'univers est le merveilleux cadeau du Père à ses enfants, leur héritage. Depuis « le commencement » Il leur préparait avec Amour : matière première dont ils seraient faits, et lieu de vie où ils se développeraient.

• C'est à cause de cet Amour et par respect pour eux, qu'il ne leur a pas donné « tout fait » mais à faire. Inimaginable humilité du Père qui a voulu avoir besoin de ses fils pour achever sa création.

• C'est par discrétion et confiance inébranlable en l'homme, qu'Il s'efface devant eux, refusant d'intervenir directement pour prendre leur place, même quand Il les voit accumuler les erreurs et saccager l'héritage qu'il leur a donné.

• C'est à cause de sa tendresse infinie de Père, qu'il reste disponible à chacun et à tous, toujours prêt à les éclairer, à les encourager, et que sans s'imposer, il ne refuse jamais de leur donner la toute-puissance de son Amour, quand librement ils la lui demandent.

– Le chrétien croit également qu'en créant l'univers, Dieu l'a marqué de son empreinte, et que fruit de son Amour, celui-ci reflète à travers la matière, quelque chose des richesses infinies de son Créateur.

Ainsi, pour les croyants, la recherche intellectuelle, la connaissance, la contemplation ... de cet univers, sont autant de silencieuses invitations à y découvrir les traces que Dieu y a laissées et apercevoir les signes de la présence active de son Esprit.

– Si tu le peux, montre donc à ceux que tu cotoies la route de la nature. Dis-leur pourquoi tu l'admires et veux la respecter.

Et toi, père, mère, professeur, éducateur, chercheur, artiste, etc ... regarde, apprends, comprends et contemple, mais ne t'arrête pas satisfait.

Car l'univers est reflet de la lumière, mais non pas la Lumière, gestes et signes de l'amour du Père, mais non pas son Amour.

Si tu persévères et désires alors vraiment la Rencontre avec ton Dieu, tu devras de plus en plus souvent, après les avoir ouverts tout grands, fermer les yeux pour VOIR. Tu peux en effet contempler les fleurs et les fruits de l'arbre, mais si tu veux en découvrir les racines et la sève, il te faut entrer dans la nuit de la terre.

– Enfin, celui qui a la chance de croire en Dieu, réalise que si le Créateur l'attend au cœur de l'univers, ce n'est pas seulement pour qu'il s'émerveille et le remercie de son œuvre, mais pour l'inviter, lui et tous ses frères, à en prendre possession et à le faire devenir leurs.

Mais peut-être faudra-t-il aux hommes des dizaines et des dizaines de millions d'années, de recherches, d'actions, et nous allons le voir hélas, de luttes entre eux, à cause de leurs intérêts divergents, pour que tous ensemble, dans la paix et la justice, ils parviennent à assumer et à intégrer cet univers pour le faire devenir leur Corps Total.

– Car, l'univers est en gestation et si, fécondé par l'Esprit, il fallut à la Terre-Mère beaucoup de temps et d'efforts pour accoucher de l'homme, il sera sûrement infiniment plus dur et peut-être plus long pour tous les hommes, de l'aider à accoucher d'une Humanité achevée. C'est là pourtant pensent les chrétiens, un des aspects importants de la merveilleuse vocation des hommes. Ceux-ci faits à l'image de Dieu, sont faits *créateurs avec Dieu*.

Accepter, avec tous les hommes, la responsabilité de l'univers

– Ainsi, être homme, c'est accepter personnellement d'intégrer pleinement une petite part de l'univers : son propre corps.

Mais c'est aussi accepter, avec tous les autres hommes sans exception, la responsabilité du développement et de la gérance de l'univers leur Corps Total. Or, en face de la terre, leur patrimoine commun, beaucoup d'hommes hélas, ont été plus occupés de la piller que de la gérer.

– Certains cependant, spécialement dans les villes tentaculaires, après avoir pris conscience qu'ils avaient oublié ou méprisé leur « Terre-Mère » et son rôle capital dans leur développement, ont rêvé et ont prêché « le retour à la nature ».

Beaucoup d'autres heureusement, effrayés par les multiples dégâts qui lui ont été infligés, ont lutté et luttent aujourd'hui de plus en plus individuellement ou collectivement, pour défendre son équilibre, préserver son intégrité ou la restaurer quand il est encore temps.

– En effet, la nature abîmée, polluée, dénaturée par l'homme, rend malade ceux qui l'habitent et s'en nourrissent, comme le corps sali d'une prostituée – « fille soumise » par les hommes – contamine ensuite ceux qui l'approchent.

– Or, gérer la terre, ce n'est pas l'exploiter, encore moins la violer. Comme l'homme dans ses relations avec son propre corps, les hommes rassemblés en groupes divers : classes sociales, professions, peuples, nations, etc ... n'ont pas à accaparer et à « soumettre » cette terre à leurs fantaisies, ni à en user à leur profit sans aucune règle ni aucune mesure, mais à se mettre à son service avec respect et amour pour qu'elle puisse servir à son tour au bien de tous.

– La lutte pour le respect et la défense de la nature au sens le plus large est absolument nécessaire, mais elle est trop souvent encore sous certains de ses aspects, le combat de privilégiés qui possèdent déjà au centuple, ce que d'autres ne font que rêver d'avoir, sans pouvoir un jour y parvenir.

– Un univers sain est certes le lieu de vie indispensable pour l'épanouissement et même la survie des hommes, mais il est d'abord la matière première de leur vie tout court : nourriture pour leur corps, leur cœur, leur esprit.

Hélas, nous savons maintenant qu'une petite partie de l'humanité de plus en plus restreinte « exploite » la plus grande partie de l'univers, et qu'elle en « profite » au maximum, en ne laissant que quelques miettes à la masse des autres hommes.

– Or, quelqu'un développerait-il avec ardeur l'un des membres de son corps en laissant les autres s'atrophier ? Consulterait-il le médecin pour l'un d'eux relativement en bonne santé, alors qu'un mal très grave gagnerait tous les autres ?

Si oui, il construirait un homme profondément déséquilibré et certainement, en danger de mort.

Ainsi, le Corps-Humanité devient monstrueux et gravement menacé, à cause de ses membres soignés, développés et sur-développés, face à ceux qui demeurent sous-développés et malades.

– Les conséquences tragiques de ce dramatique déséquilibre se mesurent hélas en quantités innombrables de vies humaines inachevées. De générations en générations, des centaines de millions d'enfants et de jeunes hommes meurent, qui n'ont pas fini de grandir, parce qu'ils ont été privés de la part de terre qui est la leur et des fruits multiples qui leur reviennent.

Là, se situe en premier le véritable danger pour l'avenir de l'Humanité.

– Ainsi, répétons-le, gérer ensemble l'univers, ce n'est pas seulement le respecter et travailler avec lui pour lui faire porter ses fruits, mais d'abord lui trouver, ou lui re-trouver son sens, en orientant *tout son développement vers le service de tous*.

L'homme en relation avec l'univers transformé et aménagé

– C'est une évidence, les hommes ont beaucoup plus de chances de se développer et de s'épanouir :

• S'ils ont de quoi manger correctement, plutôt que s'ils doivent se contenter d'un maigre repas par jour.

• S'ils ont de l'eau à leur robinet, plutôt que s'ils doivent attendre des heures pour remplir un bidon à l'unique pompe du quartier.

• S'ils peuvent étudier, se cultiver, plutôt que s'ils ne peuvent même pas apprendre à lire et écrire correctement leur langue.

• S'ils peuvent se faire soigner, plutôt que s'ils manquent de médecins et de médicaments.

• S'ils ont du travail plutôt que s'ils n'en ont pas.

• S'ils habitent un vaste pavillon, plutôt qu'un minuscule appartement.

• etc ... etc ...

Pourquoi ?

Les hommes sont dépendants du monde, qu'ils bâtissent

– L'homme n'est pas « dans » son corps comme un habitant dans sa maison. Ce corps pleinement intégré, ne fait qu'un avec lui.

De même, l'ensemble des hommes en humanité. Ils ne sont pas « dans » l'univers aménagé, comme des occupants passagers d'un lieu qui leur est prêté et qu'ils transforment selon leur bon plaisir. Cet « univers aménagé » est indissociable de ce qu'ils sont et de ce qu'ils deviennent. En le développant ils se développent, en le transformant ils se transforment, en le rendant malade ils se rendent malades, etc ...

– Ainsi, la qualité de vie, comme le développement futur de chaque homme et de l'humanité, dépendent au point de départ : non seulement de la relation de chacun avec l'univers « vierge », mais de leur relation avec l'univers transformé, aménagé, par ceux qui en ont la possibilité, ou en tout cas, par les privilégiés, qui en ont le pouvoir.

– Tu ne peux donc pas dire :

• Je suis spectateur d'une histoire qui se déroule sans moi.
• Je m'éloigne du monde que construisent les hommes pour m'en préserver.
• Je m'en désolidarise, etc ...

Ou pas davantage, d'ailleurs :

• absent jusqu'à présent, je décide maintenant de m'y « engager ».

Tu ne le peux pas, parce que, que tu le veuilles ou non, *tu es « dans » ce Monde.*

Tu peux seulement dire, et pour être « homme », tu le dois : *je prends conscience* de cette dépendance, *je l'accepte.* Mais pour ne pas me laisser mener passivement, *j'accepte également d'œuvrer* avec tous mes frères à la construction et la gestion de ce Monde.

* * *

– L'homme se réalise dans et par son Action, c'est-à-dire par l'ensemble de ses différentes formes d'interventions, sur et avec la nature vierge, ou l'univers déjà transformé.

Dans cette Action au sens large, nous comprenons toutes les formes de ce que l'on appelle « le travail » (rémunéré ou pas) : travail intellectuel, manuel, domestique, technique, scientifique, artistique ...

C'est par cette Action et ce travail que les hommes, collectivement, à travers l'Histoire :

• viennent à la rencontre de l'univers pour le connaître, l'explorer, l'apprivoiser, le cultiver,

• intègrent et orientent sa matière première et ses énergies vitales pour les humaniser,

138

• et construisent ainsi ensemble, ce Monde dans lequel ils se développent, et avec lequel ils sont liés indissolublement.

– C'est par l'Action que les hommes consomment leurs épousailles de la matière et de l'esprit. Ils participent ainsi collectivement à la douloureuse naissance du Corps Total de l'humanité.

– Cette Action en général est absolument nécessaire pour le développement équilibré de chacun. Les forces vitales de l'homme sont en effet, nous l'avons dit, des forces d'expansion et de création. Elles sont gravement brimées si elles ne trouvent pas les lieux et les moyens de s'exprimer.

* * *

– *Les chrétiens pensent* que tout homme, quel qu'il soit – même s'il ne croit absolument pas en Dieu – lorsqu'il agit d'une façon désintéressée dans le Monde, pour le développer et le mettre au service de tous, rejoint le Créateur sans le connaître ou le reconnaître.

Cette action de l'homme non croyant est *pleinement efficace et capable de remplir une vie de vrai bonheur.* Dieu la respecte infiniment et accompagne silencieusement son auteur. Il est fier de son enfant. Il se réjouit, puisque l'homme devient plus homme en devenant plus créateur.

– Mais s'il est beau pour tous de travailler gratuitement à construire un Monde au service des autres, il est infiniment plus beau pour le chrétien de savoir qu'il travaille avec son Dieu. L'Action pour lui devient alors un rendez-vous d'amour ; la réalisation, le fruit de la Rencontre, et tout engagement de l'homme, si petit soit-il, peut fleurir en contemplation.

– C'est le regard de foi qui permet au chrétien de VOIR ainsi « l'au-delà » des choses, des personnes, des événements, des efforts et des combats des hommes.

Il faudra de plus en plus de ces VOYANTS dans le monde moderne, car au fur et à mesure que se développent la science et la technique, l'homme s'éloigne du contact direct avec la nature vierge. La transformant, et la marquant de son empreinte, il efface souvent les traces que le Créateur y a laissées.

– Comme un père suit des yeux son enfant qui couvre la page blanche de couleurs agressives, puis admire son « dessin », non certes pour sa beauté, mais pour tout ce qu'il représente de désirs et d'efforts, ainsi notre Père du ciel regarde l'homme-enfant, apprenti-créateur, travaillant sur le chantier du Monde. Il voit les maisons et les villes, les routes et les usines ..., il voit les champs cultivés et les fleuves maîtrisés ...., il voit les réussites et les échecs, l'égoïsme et l'orgueil ..., mais il voit surtout à travers cet immense effort des hommes pour bâtir le paradis dont ils rêvent depuis toujours, l'Esprit de son Fils Jésus au travail avec eux.

On demande des contemplatifs qui rejoignent ce regard d'amour de Dieu sur le Monde. Ils aideront à VOIR, ceux qui ne voient pas.

Tous les hommes doivent pouvoir être actifs et responsables

– Certains hommes, sous tels ou tels prétextes, tentent volontairement de s'abstenir de toute intervention dans le Monde : repli sur soi, sur la cellule familiale, rejet de la politique, etc. Ils handicapent donc ainsi le développement d'une partie de leur être, et deviennent des parasites qui se nourrissent des fruits que font pousser leurs frères.

– D'autres bénéficient tout particulièrement de dons naturels abondants : santé, intelligence, etc ... Ils sont riches de l'héritage matériel et culturel, reçu de leurs parents, comme des acquis de leur milieu social. En toute bonne conscience, ils prennent peu à peu tous les pouvoirs : celui de la pensée, de la parole, de l'action. Ils gèrent seuls, ou en groupes de privilégiés, le Monde qui se construit.

Les meilleurs d'entre eux, pensent et désirent quelquefois, partager avec les démunis, les bénéfices de leur action. Mais peu hélas, prennent conscience qu'il ne s'agit pas d'abord de partager les fruits, mais les responsabilités et les pouvoirs.

– Enfin, le plus grand nombre des hommes, hélas, sous la pression de nombreuses structures économiques, politiques, sociales, qui se sont constituées, et par la volonté de personnes ou de groupes de personnes, sont écartés de toute participation importante à la construction de ce Monde qui est le leur. Pensons par exemple :

• à tous les handicapés par le manque de nourriture, de logement, de soins, de culture ... que nous évoquions précédemment, et qui sont ainsi momentanément, sans force et sans voix ...

• à tous les chômeurs, c'est évident, et nous en reparlerons, mais aussi à tous ceux qui dans leur travail, ne sont que des robots et non pas – pour au moins une petite part – des responsables et des créateurs ...

• jusqu'à tous ceux qui, citoyens d'une nation totalitaire n'ont pas le droit de se réunir, de s'exprimer, de se déplacer, et doivent obéir aux ordres de dictateurs qui détiennent un pouvoir absolu, etc ...

C'est ainsi que des millions et des millions d'hommes sont ensemble condamnés à un dramatique « refoulement » de leurs forces de création.

Ils mettent, malgré eux, l'équilibre de l'Humanité en danger.

* * *

– Toute violence, nous l'avons dit, trouve son origine dans les forces vitales refoulées. Ce qui est vrai pour l'homme individuellement, l'est aussi pour les hommes en groupes : classes sociales, peuples, etc ...

Il ne faut donc pas s'étonner d'enregistrer tant et tant de ces violences dans le Monde. Depuis les bandes de jeunes sans espoir des « quartiers chauds » qui cassent tout pour montrer qu'ils existent, jusqu'aux peuples opprimés qui s'engagent dans des actions sanglantes, pour reconquérir par la force, ce dont ils sont injustement privés.

– Ce n'est pas avec des menaces, des interdits, des sanctions ou des barrages de toutes sortes, que l'on peut arrêter la violence collective (comme la violence individuelle), mais en ouvrant des canaux d'action où les forces vitales trouveront l'occasion de construire plutôt que de détruire.

– Il faut chercher à donner – ou à redonner – à tous les hommes, la place, même modeste, qu'ils doivent occuper légitimement, et les moyens qu'ils doivent avoir, pour travailler avec tous, sur les chantiers du Monde.

Construire le monde, oui mais lequel ?

Pour sa construction intérieure, l'homme doit être attentif à l'épanouissement équilibré de ses trois étages, et aux possibilités de réalisations de toutes ses forces vitales.

Pour la construction d'un Monde harmonieux, les hommes ensemble doivent, eux aussi, tenir compte de ces différents aspects. Car un Monde déséquilibré risque fort d'engendrer une Humanité déséquilibrée[1].

Malheureusement, comme nous l'avons dit d'une façon imagée en parlant de l'homme individuellement (cf. pages 34-36) on peut dire également, que trop souvent, les hommes, collectivement, bâtissent un Monde qui « marche sur la tête », qui « rampe », ou qui « plane ».

---

1. Certains lecteurs regretteront que nous ne parlions pas du rôle *spécifique* de la femme dans la construction du Monde. Il faudrait un chapitre spécial. Nous avons prévenu que nous ne pouvons pas tout dire, mais seulement ouvrir quelques grandes pistes de réflexions, en laissant à regret, beaucoup d'autres inexplorées. Disons cependant que nous pensons, c'est évident, que s'il faut la présence et l'action d'un homme et d'une femme – père et mère – pour assurer le développement harmonieux d'un enfant, il faut également la présence et l'action d'hommes et de femmes pour développer un Monde et une humanité équilibrée et épanouie. Mais nous pensons également que, sous prétexte d'égalité, il n'est pas réaliste – au sens profond du mot – de vouloir que chacun puisse et doive faire ce que fait l'autre. Au contraire, les hommes comme les femmes doivent approfondir leur spécificité pour en enrichir leur partenaire. L'incontestable richesse d'une éducation dans la mixité totale chez les jeunes, peut devenir un danger : à savoir, des hommes féminisés, des femmes masculinisées. Il faut donner aux filles des espaces et des moyens pour approfondir leur féminité et aux garçons leur masculinité. Actuellement, dans la construction du Monde, l'équilibre homme/femme n'est pas assuré.

*– Un Monde qui « marche sur la tête » c'est, **entre autres aspects** :*

• Un Monde dont le développement est globalement dominé par les forces matérielles : spécialement par le pouvoir de l'Argent et les structures et systèmes économiques qu'il engendre.

• Un Monde dont l'importance et l'influence des groupes humains, quels qu'ils soient, se mesurent davantage à leur « avoir » plutôt qu'à leur « être », et dont les décisions sont prises en fonction de l'intérêt économique de ceux qui possèdent déjà, richesse et pouvoir.

• Un Monde qui organise et pousse à la consommation ; qui entraîne peu à peu une délirante sur-consommation, en faisant naître et se développer une foule de désirs de bien-être matériel, soi-disant indispensables, pour vivre heureux.

• Un Monde qui gaspille, jette, rejette et multiplie ces rejets qui asphyxient les hommes et la terre.

Un monde qui "marche sur la tête"

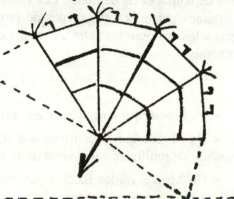

• Un Monde ou les groupes petits ou grands s'imposent par la force, et particulièrement pour les États, par la force des armées et des armements.

• Un Monde où des hommes, dépensent beaucoup d'argent, de temps, d'intelligence ... à concevoir et à mettre en place des équipements matériels de luxe, avant de savoir s'ils trouveront des personnes qualifiées pour les occuper et les animer.

• Un Monde qui impose des modes, et rende les hommes esclaves du paraître.

• etc ... etc ...

– Construire un Monde qui cultive ainsi inconsidérément son développement matériel, aux dépens de ses forces spirituelles, celles de l'esprit et du cœur, c'est engendrer une humanité qui peu à peu, se « déshumanise ».

– Plus concrètement, parmi de nombreuses autres conséquences, ce déséquilibre du développement :

• entraîne une partie de l'humanité, dans une âpre lutte, entre personnes et groupes de toutes dimensions, pour une augmentation de leur « profit » et une capitalisation jamais achevée. Cette lutte devient obsédante, et globalisante, parce que mangeuse de temps, d'intelligence, d'énergie.

• écrase cette autre partie beaucoup plus nombreuse de l'Humanité, dont nous avons parlé précédemment et lui impose un faux modèle de développement.

• engendre alors une fracture de plus en plus grande entre catégories de nantis et de démunis. Les liens des hommes entre eux cassent. Certaines personnes et groupes de personnes deviennent des « étrangers » les uns pour les autres, à moins qu'ils ne soient déjà devenus des ennemis ...

* * *

– *Un Monde qui « rampe » c'est, **entre autres aspects*** :

• Un Monde qui se construit « à coups de cœur », tiré, balloté, dépendant de multiples va-et-vient de la sensibilité collective des masses.

• Un Monde où les médias parlent en premier, des événements et des situations qui vont susciter le plus d'émotion. Cette émotion envahissant le champ des consciences recouvre alors, ou efface, la préoccupation de certains drames permanents, infiniment plus importants.

• Un Monde qui focalise sur quelques réalisations d'entraides remarquables, voire héroïques, accomplies par certains groupes ou certaines personnes phares, mais oublie de signaler l'indispensable lutte pour des structures plus justes, et néglige de mettre en valeur l'action de nombreuses personnes, qui s'y consacrent dans l'ombre.

• Dans le même ordre d'idée, un Monde où l'appel à la pitié devant les larmes d'un enfant en détresse, fait ouvrir les porte-monnaies plus sûrement qu'un exposé sérieux sur les causes de tels ou tels fléaux, et les longs combats qu'ils réclament pour en venir à bout.

• Un Monde où certains hommes au pouvoir, sous prétexte d'art et de culture, investissent d'énormes sommes d'argent dans la construction de monuments somptueux, tandis que des milliers de taudis n'en finissent pas d'être résorbés.

• Un Monde qui impose comme image de l'amour, les « coups de foudre » successifs des sensibilités et des sensualités débridées. Et qui livre en pâture à l'imagination et aux rêves des jeunes et des moins jeunes, l'exemple des dernières grandes passions des vedettes.

• etc ... etc ...

– Veiller à ne pas construire un Monde qui « rampe » ce n'est pas arrêter les cœurs de battre, ni empêcher le dévouement individuel ou sectoriel de se déployer, mais : c'est canaliser les émotions collectives pour *ne pas être dépendant d'elles*, et c'est *orienter raisonnablement* les immenses forces d'action que ces émotions libèrent.

– Un Monde qui évolue trop souvent à la remorque des sensibilités collectives, devient une proie facile pour les manipulateurs d'opinions. Certains responsables de tous ordres et à tous les niveaux, jouent alors sur « les grands sentiments » pour emporter l'adhésion à leurs idées, et obtenir les moyens de réaliser leurs projets.

* * *

– *Un Monde qui « plane » c'est, **entre autres aspects**[2] :*

---

2. Nous n'oublions pas – mais une fois encore nous ne pouvons pas traiter ici ce sujet comme il le faudrait – le problème du prodigieux développement de la recherche scientifique en général, et en particulier de la recherche sur la vie. Des savants passionnés par leurs découvertes et leurs expériences, s'engagent toujours plus sur des chemins, que la réflexion éthique, et encore moins les dispositifs législatifs, n'ont pas encore clairement balisés. Ce n'est pas certes le progrès de la science qui est dangereux, mais l'utilisation que l'on en fait. Sous prétexte de liberté de la recherche, certains apprentis-sorciers peuvent mettre en danger l'homme lui-même.

• Un Monde qui globalement développe et organise une Conception, une Réflexion et une Formation, coupées de plus en plus du RÉEL et de l'ACTION :

• D'où un Monde où très souvent le type de formation produit des hommes qui ont beaucoup appris avec leur « tête », et très peu avec leurs « mains ». Sur les chantiers de la vie, ils sont « inadaptés ».

• Un Monde où, au sein d'une même population, les programmes des Lycées sont surchargés et les années d'étude multipliées, dans les Facultés, tandis que l'analphabétisme et l'illettrisme se développent et créent une dangereuse fracture culturelle.

• Un Monde où de plus en plus de personnes consacrent de plus en plus d'énergie à réfléchir, discuter, planifier des actions à entreprendre, tandis qu'il ne leur reste presque plus de temps pour les accomplir ... À moins que – tout en les observant et quelquefois en les critiquant – ils ne se déchargent sur les quelques actifs qui restent à travailler sur le terrain.

Un monde qui "plane" ...
et décolle du réel

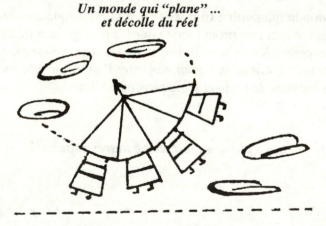

• Un Monde où les décideurs à tous les niveaux, sont déconnectés de la vie qu'ils prétendent organiser et gérer. Où les « experts » et les spécialistes de toutes sortes sont davantage nourris d'études, de rapports, de statistiques, que d'expériences concrètes.

• Un Monde où les responsables d'organismes et d'associations diverses, se réunissent et réunissent leurs membres, pour réfléchir à ce qu'ils seront et feront dans cinq, dix ou vingt ans. Ils préparent demain. Demain, ils prépareront après-demain. Ils risquent fort de négliger aujourd'hui.

• Un Monde où les « structures » de réflexions, de formations, d'organisations sont telles, qu'elles réclament toujours davantage de personnes pour les maintenir en place, aux dépens des hommes d'action qu'on « détache » pour les faire fonctionner ...

• Un Monde, hélas, où en face de très graves problèmes humains, les responsables nomment des experts, mettent en place des commissions, organisent des colloques, demandent que soient rédigés des rapports et des propositions dont les secrétariats feront la synthèse, etc ... tandis que les problèmes concrets demeurent, et se sont quelquefois tragiquement amplifiés.

• etc ... etc ...

– Ce sont là, parmi bien d'autres, autant de signes cliniques de cette profonde inadaptation de la pensée à l'action. Les hommes bâtissent un Monde qui « plane » et risque la schizophrénie.

* * *

– Il est vrai que le Monde se transforme rapidement. Il est vrai que grâce à leur intelligence les hommes avancent prodigieusement dans la découverte de l'univers et de la vie ; qu'ils réfléchissent de plus en plus sérieusement sur l'organisation et la gestion de ce Monde qu'ils habitent. Mais :

• À quoi servirait une locomotive de plus en plus puissante et perfectionnée, si les wagons du convoi s'en détachaient et les compartiments se disloquaient ?

• À quoi servirait un premier de cordée qui s'envolerait allègrement vers les sommets, si la corde était cassée et ses équipiers en perdition ?

• À quoi serviraient des plans d'architectes géniaux, si les maisons étaient inconstructibles ? Et les lois, les réglements, inapplicables ? Et les rapports, les études, inutilisables, etc ... ?

Il ne s'agit pas de ne pas chercher, étudier, réfléchir, se former s'organiser, prévoir l'avenir, etc ... mais d'une façon générale de ne pas *désincarner la réflexion*.

– Les belles idées peaufinées puis échangées, discutées et rediscutées en laboratoire, ou en groupe, deviennent vite des graines sèches, si par l'action elles ne sont pas enracinées dans la terre de l'univers, et ne prennent pas chair dans le Corps-Humanité.

– Or, quand il s'agit de construction du Monde, et donc lorsque l'homme est en jeu, le décalage est souvent très grand, entre la conception et la réalisation.

Beaucoup de responsables oublient en effet que des idées claires et des propositions justes, peuvent être mises au point en une journée, mais qu'il faut quelquefois des mois et plus, pour obtenir des réalisations concrètes, qui s'avèrent parfois très éloignées de ce qui était pensé et prévu.

On ne manipule pas les hommes comme des idées, et encore moins comme des objets.

La construction du Monde est en danger quand la société produit davantage de penseurs, aux dépens des acteurs.

– Ainsi, comme l'homme qui développe son étage spirituel sans liens étroits avec le sensible et le physique – lui-même étroitement lié à « la terre » – risque de disloquer sa construction intérieure, les hommes dans la construction du Monde. Ceux-ci au fur et à mesure que se creuse le fossé entre la pensée et l'action qui l'enracine dans le réel, *risquent de construire un Monde fou*. Une petite partie de l'humanité s'échappe ou ... « s'envole », tandis qu'elle laisse des masses humaines en panne, sur les chemins tortueux de la vie.

Vers un développement solidaire

– L'Action, pour être authentiquement « humaine », doit partir de tout l'homme, pour atteindre tout l'homme. Elle se situe au carrefour de ses trois étages. Quand elle ne tient pas compte de l'un ou de l'autre, elle n'atteint pas pleinement son but. C'est la raison pour laquelle tant et tant de bonnes intentions, de plans d'action, de réglements, de décisions, etc ... échouent partiellement, ou totalement, dans leur réalisation.

– Si la construction du Monde et sa gérance doivent tenir compte de *tout l'homme*, elles doivent aussi s'effectuer *avec tous les hommes*.

Nous avons dit précédemment qu'il est gravement anormal qu'une importante partie de l'Humanité soit écartée de cette tâche (cf. page 142).

Le chômage grandissant, – qui ne peut que s'aggraver si des mesures de partage sur tous les plans, ne sont pas pensées, décidées et *appliquées* – est un des exemples le plus inquiétant de ce dysfonctionnement de la collectivité humaine, nationale et internationale.

Indépendamment du problème très réel de la rémunération du travail, l'anormalité du chômage tient à l'impossibilité de beaucoup d'hommes de participer à ce qui est – dans l'organisation actuelle de la société – une façon importante de collaborer à la construction et à la gestion du Monde. Il humilie l'homme, le refoule et le désarticule dans son développement.

– Enfin, cette construction et cette gestion du Monde qui doivent être *l'œuvre de tous*, doivent être *au service de tous*. Les hommes en effet n'auraient-ils pas tous le même prix ? Et la terre ne serait-elle la propriété que de quelques-uns ?

Le dramatique déséquilibre du développement que nous avons signalé est intolérable. Non seulement parce qu'il provoque d'innombrables souffrances et la mort prématurée de millions et de millions d'hommes, mais parce qu'il menace également ceux qui sont temporairement les bénéficiaires de cet injuste déséquilibre.

Nul en effet, et nous allons y réfléchir dans le prochain chapitre, ne peut s'épanouir pleinement sans les autres. L'homme appartient à un grand Corps vivant où tous les membres sont liés les uns aux autres. La prospérité apparente de quelques-uns de ses membres, est une dangereuse illusion.

– Disons dès maintenant qu'au seul plan « humain » – indépendamment de toute « morale » et quelles que soient les solutions techniques adaptées – les hommes ne pourront construire un Monde juste et solidaire tant que les autres en face d'eux, fussent-ils d'une classe sociale, d'une culture, d'une façon de vivre, d'un peuple, d'une nation, etc ... différentes ne seront pas reconnus comme des personnes uniques, aux dons et possibilités, variés certes, mais ayant tous la même dignité. En fait, tant que ceux-ci ne seront pas reconnus comme des frères, et tant que les plus pauvres sur tous les plans, ne seront pas servis en premier.

L'abbé Pierre l'a compris, répété et vécu depuis longtemps : « Servir d'abord les plus souffrants », faisant écho à Jésus, qui Lui, proclamait deux mille ans auparavant : « Je ne suis pas venu pour les bien-portants, mais pour les malades ».

**

Ainsi, comme l'homme individuellement qui ne peut grandir sainement que s'il oriente toutes ses forces vitales vers le don aux autres, les hommes collectivement, ne peuvent construire un Monde harmonieux et en paix, que si tous leurs efforts convergent vers un *authentique développement SOLIDAIRE*.

NB : Il se trouve que nous relisons ce texte le jour anniversaire des 30 ans de la publication par le pape Paul VI de l'encyclique *Popularum Progressio*. Comment ne pas être impressionné par la justesse d'analyse de cette encyclique, comme par tout le travail du Père Lebret et d'*Économie et Humanisme*. Combien, malheureusement, tout ceci reste d'actualité : le développement de tout l'homme et de tous les hommes reste un objectif que nous sommes loin d'avoir atteint.

L'homme en relation avec tous les autres hommes

Nous avons commencé de découvrir que l'homme dépasse l'homme de beaucoup, et que son fonctionnement et son développement, ne se réduisent pas aux étroites limites géographiques de son corps individuel. Disons dès maintenant qu'il est avec tous ses frères :

- sous son aspect physique, *grand du corps Total de tout l'Univers*
- sous son aspect psychique, *grand du corps de toute l'Humanité*
- et pour le chrétien, nous le verrons, sous son aspect mystique,
  avec Jésus et son Esprit Saint, *grand du Corps du Christ.*

Plus l'homme prend conscience de toutes ces dimensions de son être, et librement les accepte ; plus il vit intensément à l'intérieur de celles-ci, ses relations avec l'univers, les hommes – et Dieu pour les croyants – plus il grandit et s'épanouit harmonieusement.

Mais redisons, une fois encore, qu'on ne « construit » pas un homme comme une maison. Pour celle-ci on agit successivement, en commençant par les fondations, et en finissant par le toit. L'homme, lui, parce qu'il est un « vivant-animé », grandit *sous tous ses aspects en même temps.* Si nous sommes obligés pour réfléchir à ceux-ci, de les détailler en plusieurs chapitres il faudrait, si on peut dire, les lire les uns sur les autres, les uns dans les autres. En l'homme tout se tient. Tout est relations.

Après avoir réfléchi sur le premier aspect de sa *dimension horizontale :* ses liens avec l'univers vierge et l'univers transformé et aménagé par tous, nous abordons maintenant, le deuxième aspect de cette dimension : *ses liens avec tous les hommes.*

* * *

– Tu dis souvent, ou tu entends dire autour de toi :

- J'ai beau me regarder, je ne vois pas clair en moi.
- Je ne comprends pas mon comportement.

• Quelque chose m'échappe et me dépasse en fait, je ne me connais pas !

Rassure-toi. Celui qui prétend se connaître parfaitement est en pleine illusion car, comme nous l'avons dit et répété, tout homme est inachevé et ce n'est que peu à peu, en découvrant toutes les « dimensions » de son être, qu'il se découvre lui-même.

– Observe ta main. Imagine-là consciente et voulant se comprendre. Ses doigts repliés dans le creux de sa paume, elle se regarde et s'analyse indéfiniment. Ce regard sur elle-même ne lui révélera jamais pourquoi elle bouge et peut saisir un objet, sentir le froid, le chaud, etc ...

Pour se connaître, elle doit, après avoir pris conscience de son existence et de ses riches possibilités, cesser de se regarder, puis se redresser et découvrir au-delà d'elle même : le poignet qui lui permet la rotation ; puis le coude, l'épaule ... et plus loin les jambes, les pieds qui lui permettent le déplacement dans l'espace ... puis plus profondément le cœur qui lui envoie le sang, le cerveau qui commande ses impulsions, etc ... Car si la main est unique et irremplaçable, elle n'est cependant que le membre d'un corps qu'elle doit découvrir et reconnaître pour se connaître elle-même.

– Ainsi toi. Ainsi l'homme.

Il ne faut certes pas oublier de te regarder ; de prendre conscience de tes richesses et t'en réjouir ; de comprendre et décider de ne pas les gaspiller ou les refouler ; de croire de toutes tes forces, que quels que soient tes dons, tu as reçu les matériaux nécessaires pour construire l'homme que tu dois devenir (cf. « L'homme et sa dimension intérieure » page 13 et suivantes) ...

Mais si tu ne fais que te regarder, enfermé sur toi-même, très vite tu te heurteras douloureusement à tes multiples limites et tu ne découvriras qu'une chose : *seul tu es incompréhensible, tu ne peux pas survivre et tu es totalement dénué de sens*. Car, si toi aussi tu es unique et irremplaçable, toi aussi tu n'es que le membre d'un Corps immense : l'Humanité.

L'homme se connaît et se grandit à la mesure de son
ouverture aux autres et de son union avec eux

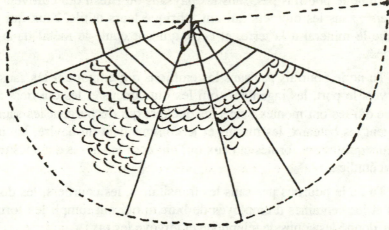

Ci-dessus, des hommes plus ou moins "ouverts"
et plus ou moins enrichis de la rencontre des autres

– Nous l'avons dit, et c'est une évidence, si tu vis c'est grâce à tes parents, puis aux parents de tes parents, etc ... Tu n'as pas besoin de faire ta carte généalogique pour savoir et comprendre que tu ne peux échapper à la chaîne des générations dont les milliards et les milliards de maillons se croisent et s'entrecroisent depuis le début de l'humanité. Maillons animés, où la vie circule, comme le sang dans les artères. Nous sommes tous liés les uns aux autres, et si nous disions avec le poète : « il n'y a pas une étoile au ciel qui ne me soit nécessaire » nous pouvons dire, chacun à notre place : « il n'y a pas un homme sur terre qui ne me soit nécessaire ».

– Si tu as besoin de tous les hommes, pour exister, tu as en effet également besoin de tous pour agir.

Imagine. Tu es à table avec des amis. Tu bois une tasse de café...[1]

――――――――――

1. Cette image, née d'une authentique et profonde prise de conscience, un jour au Brésil, a été développée dans le livre de Michel Quoist, *À cœur ouvert*, Éditions de l'Atelier, p. 45-46. L'homme ne vit et ne grandit *que par la relation* avec tout l'univers, tous les autres hommes et Dieu. Ensemble et chacun à notre place, nous ne formons qu'un seul corps, depuis le début des temps. Il grandira jusqu'à la fin du Monde, et pensent les croyants, s'épanouira dans l'éternité.

• Tu ne le pourrais pas, sans les paysans du Brésil qui cultivent les caféiers ; sans les ouvriers qui ont fabriqué leurs outils, ceux qui ont arraché le minerai à la terre, et ceux qui ont coulé le métal dans les aciéries ...

• Tu ne le pourrais pas sans les camions qui emportent les sacs de café vers le port, les ingénieurs qui les ont conçus et les ouvriers à la chaîne qui les ont montés ; sans les dockers qui déchargent les sacs et chargent les bateaux, les marins et le commandant du navire, les professeurs qui les ont formés et ceux qui ont écrit les livres dans lesquels ils ont étudié ...

• Tu ne le pourrais pas sans les transitaires, les courtiers, les douaniers et les centaines d'employés de bureau qui ont rempli les formulaires, donné les coups de téléphone et envoyé les fax ...

• Tu ne le pourrais pas sans les parlementaires qui ont voté les lois, les fonctionnaires qui ont appliqué les règlements ...

• Etc ... etc ...

Pour boire une tasse de café, tu as besoin de l'activité de tous les hommes de toute la terre ; ceux d'aujourd'hui comme ceux d'hier, car ceux d'aujourd'hui n'existeraient pas s'ils n'avaient pas reçu la vie de ceux qui les ont précédés.

Ton café a le goût de toute la peine et de toute la joie de toute l'humanité.

– Ainsi, celui qui pense et dit :

• Seul, je me connais.
• Je me suffis à moi-même.
• Je n'ai besoin de personne pour agir et me développer, etc.

Celui-là est un inconscient. Car, c'est au contraire à la mesure :

• de sa prise de conscience et de l'acceptation de sa totale incomplétude,
• de ses efforts d'ouverture aux autres, en largeur et en profondeur,
• et de sa volonté de créer ou de recréer des liens avec eux,

que l'homme pourra devenir lui-même, et se développer harmonieusement. Comment y parvenir ? Voici quelques pistes importantes, parmi d'autres.

Prendre conscience et accepter d'être essentiellement pauvre

– Il faut donc l'admettre : nul ne peut trouver en lui-même son propre enrichissement. Il ne grandit que par ses relations avec les choses, les hommes, et Dieu, pensent les croyants. Ces relations doivent s'élargir « spirituellement », jusqu'aux limites de l'espace et du temps et peuvent s'approfondir jusqu'à l'infini.

Hors de la relation, nous sommes condamnés à la solitude absolue et à l'infécondité totale.

– Ce n'est pas facile d'accepter de ne pouvoir absolument pas vivre et agir seul. C'est pourtant la première attitude nécessaire pour te mettre en état d'accueil des autres.

Si tu te crois riche et suffisant, tu ne les rejoindras pas, car tu n'ouvriras ni tes mains, ni ton cœur, ni ton esprit, pour recevoir d'eux, ce qu'ils ont à te donner.

– Si tu es généreux et si tu veux donner et te donner aux autres, il te faut changer d'attitude : Je viens vers toi, parce que j'ai besoin de toi et non parce que tu as besoin de moi. Tu pourras donner sans crainte de blesser, et tu donneras efficacement, quand tu auras compris et accepté qu'il te faut d'abord recevoir.

Tous ceux qui ont fait l'expérience authentique de la rencontre des « pauvres », sous toutes les formes de pauvreté que ce soit, sont unanimes : « Nous allions vers eux pour leur donner, et c'est nous qui avons reçu davantage ».

– L'autobus qui affiche « complet » ne s'arrête pas à la station. Où s'il s'arrête et que personne ne descend, aucun de ceux qui attendent ne peuvent monter.

Or, nous le verrons, il ne s'agit pas seulement de recevoir quelque chose des autres, mais de les recevoir eux-mêmes, et si tu es « plein de toi-même », tu ne peux accueillir personne. Il n'y a pas de place chez toi, pour eux.

– Quel que soit l'autre devant toi, serait-il à tes yeux le plus démuni sur tous les plans, tu as besoin de lui. Il a toujours quelque chose à te donner, car il est unique, et nul ne pourra donc jamais le remplacer. Si tu rates la rencontre, tu seras « incomplet ». C'est un échec dans ton développement.

– Plus tu découvriras et accepteras d'être « en manque » des autres, plus tu verras grandir en toi le désir d'une rencontre authentique avec eux.

– Tu es pauvre de l'autre, tant que tu ne t'es pas enrichi de lui.

* * *

Refuser toute exclusion de personne ou de groupes de personnes

Attention disons d'abord, qu'il ne s'agit évidemment pas de refuser toute distanciation, ou même exclusion « *physique* ». Par exemple, rompre certaines relations affectives ou sexuelles, anormales ; décider l'éloignement d'un ami, d'une amie, de parents, de groupes, etc ... trop possessifs ; préserver des enfants de certaines influences clairement néfastes, etc ... Mais qu'en aucun cas il s'agit de rejeter *intérieurement* les personnes que l'on écarte de soi, ou dont on s'écarte soit par mépris, vengeance, rancune, jalousie, etc ... Au contraire, il s'agit de continuer à vouloir de toutes ses forces, le bien de l'autre ou des autres, et de chercher à le réaliser directement ou indirectement, mais *sous une autre forme* et par d'autres moyens.

Pour le chrétien, il s'agit de s'efforcer de garder toujours un regard fraternel sur l'autre ou les autres, et de retrouver en Dieu une proximité réelle avec eux.

Il est, par exemple, impossible à un chrétien d'exclure volontairement quelqu'un de sa prière.

– Certains hommes s'excluent eux-mêmes sans vraiment réfléchir. Ils se font « centre » et tentent de se développer en prenant tout ce qu'ils trouvent des choses et des personnes autour d'eux. Nous l'avons déjà remarqué, vivant sur le compte des autres, dans le Corps Humanité, ce sont, sur des plans très divers, des parasites inconscients.

– D'autres se retrouvent toujours à quelques-uns. Les mêmes. Des relations privilégiées soigneusement choisies, quelquefois d'ailleurs, au départ, pour une bonne cause : une entraide, des actions communes de solidarité, un mouvement ... Mais peu à peu, ils forment « clan ». Ils parlent de la rencontre des autres ; ils se prétendent ouverts et disposés à les accueillir, mais ils ne sortent pas de leur cercle fermé pour aller vers eux. Sans toujours s'en rendre compte, ils excluent.

– D'autres encore sont enfermés en eux-mêmes, incapables de rejoindre les autres par impossibilité de serrer une main, de parler, de croiser un regard, etc. À cause de leur timidité pensent-ils, mais en fait, à cause de beaucoup d'autres raisons qu'il faudrait analyser avec eux, pour les en libérer. Ils se rétrécissent, se recroquevillent, se dévitalisent. Ce sont des malades. La relation est cassée. Ils en souffrent et font souffrir.

Il faut quelquefois attendre longtemps à la porte de chez eux pour qu'ils l'entrouvent et qu'ils puissent être aidés discrètement à nouer ou à renouer quelques liens qui vont les revivifier, et faire redémarrer leur croissance. Ils ne sont pas directement responsables.

– Par contre il y a :

• Ceux qui consciemment et volontairement excluent quelqu'un de leurs relations :

« Celui-là, je ne peux pas le *voir* »
« Je ne peux pas le *sentir* »
« Nous n'avons pas les mêmes idées »
« Il n'est pas comme moi »
« Je ne fréquente pas ces gens-là » ... etc ...

• Ceux qui érigent en principe et traduisent en action l'exclusion d'un groupe d'hommes, petit ou grand, à cause de leurs idées, de leur peuple d'origine, de leur classe sociale, de leur culture, de leur implantation géographique, etc ...

Ces hommes-là, cette fois, sont directement responsables. Vis-à-vis de l'Humanité dont ils blessent tragiquement le Corps total, et vis-à-vis d'eux-mêmes. Car en se mutilant d'une partie de leurs membres, ils s'autopunissent et deviennent handicapés chroniques.

– L'homme en effet, n'exclut pas toujours que des individus, car il est un « *être en relation* » qui n'est pas seulement en lien avec des êtres individuels, mais avec des personnes qui sont elles-mêmes en relations avec d'autres. Il est donc un « *être en société* ». Il est inséré dans d'innombrables groupements, petits ou grands, et de caractères très différents. Il participe à leur vie. Il est influencé et transformé par eux, comme lui, à son niveau, les influence et les transforme.

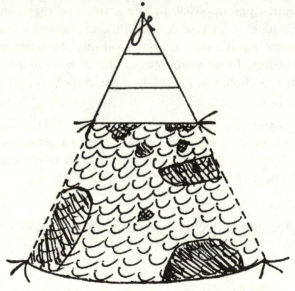

L'homme blessé par l'exclusion d'autres hommes
ou groupes d'hommes

– Les hommes sont rassemblés, et donc spécialement solidaires, sur plusieurs plans qui se chevauchent les uns les autres. Au niveau :

• Sociologique : la famille, la classe sociale, les multitudes de groupes sociaux de tous ordres.

• Géographique : le continent, le pays, la région, la ville, le quartier.

• Au niveau de la fonction et de l'activité : la profession, les loisirs, les études ...

– De même qu'il y a en l'homme des structures intérieures et des forces vitales prédominantes qui constituent son tempérament, il y a dans ses liens avec les autres, des groupes dont il est à la base plus naturellement solidaire : par exemple le pays et la région où il est né et où il a vécu ; sa classe sociale ; sa profession, etc ... Mais il ne doit *pas être réduit à l'une de ses solidarités*, fût-elle très importante. Ce serait le déformer, le déséquilibrer gravement et le mettre à son tour sur le chemin de ceux qui excluent. À savoir, lutter contre ou se séparer de ceux qui ont et vivent des solidarités différentes des siennes.

– S'interdire d'exclure, quels que soient les personnes ou les groupes, mais au contraire, tout faire pour s'ouvrir à tous sans exception, ce n'est pas d'abord une exigence « morale », le respect d'une loi humaine ou divine, c'est une *nécessité vitale* pour celui qui veut devenir homme complet, harmonieusement épanoui. Ceux qui vont à l'encontre de cet effort toujours renouvelé pour y parvenir, abîment l'homme, bloquent son développement et à la limite, détruisent les autres et se détruisent eux-mêmes.

– Pour un chrétien, nous le verrons, exclure, c'est mutiler Jésus Christ.

* *

Respecter la personnalité des autres et l'identité des groupes

– Rencontrer l'autre, ce n'est pas essayer de niveler les différences (les tiennes et les siennes) dans le but de mieux réussir l'union. Car l'union n'est pas la fusion de deux êtres semblables. S'il y a fusion, il y a destruction de l'un, par absorption de l'autre.

Les couples ou les amis qui se réjouissent en disant : c'est merveilleux, nous avons les mêmes idées, les mêmes goûts, les mêmes habitudes, etc ... ne se rendent pas compte qu'ils condamnent leur rencontre à l'anémie et à la stérilité.

C'est parce que l'autre est différent, que sa rencontre enrichit. Deux « clones » n'auraient rien à se donner, puisqu'ils seraient absolument semblables.

– Non seulement il te faut accepter l'authentique personnalité de l'autre, mais la vouloir, et au besoin l'aider à la détendre et l'épanouir, si celui-ci tente de la gommer, afin pense-t-il, de mieux permettre la rencontre.

Aimer l'autre, c'est vouloir de toutes tes forces qu'il soit lui-même et que tu sois toi-même.

* *

– Ce qui est vrai pour l'union interpersonnelle, l'est également, dans la société, pour la rencontre et l'enrichissement des groupes entre eux. Leur authenticité et leur valeur humaine se mesure *d'abord* à leur *capacité d'accueil et de respect de la singularité des autres groupes.* Car en aucun cas, ce que l'on appelle en général « intégration » ne doit être, absorption, et donc disparition des autres différents.

Individuellement ou collectivement, on ne se grandit pas, à partir de la neutralisation, de l'étouffement ou de la mort des autres.

– Par contre, s'il est vrai que chaque groupe doit garder sa singularité et ses richesses particulières, la défense de celles-ci ne doit pas être à ce point exclusive qu'elle rejette pratiquement l'existence des autres.

Défendre ses droits sectoriels sans tenter de comprendre et de tenir compte des droits des autres, est une erreur. Elle conduit à la lutte puis à l'exclusion du plus faible par le plus fort. On est alors introduit dans un cercle vicieux, où le faible, afin de reconquérir ses droits, s'arme pour devenir à son tour le plus fort, et reprendre ce qu'on lui a ôté.

– Comme pour les personnes, les rencontres des groupes différents sont cependant pour eux une occasion unique de développement, tandis que le repli sur eux-mêmes par peur de perdre leur intégrité et de se trouver déstabilisés, et plus encore, le rejet pur et simple de l'autre, est un échec *d'humanisation de la société.*

Il n'y a « montée humaine » que dans le respect mutuel, la concertation et l'échange.

* * *

Non pas « intégrer » les autres, mais entrer en communion

– Pour être pleinement lui-même, et atteindre sa « taille adulte », l'homme a donc besoin de tous les autres hommes. Il doit s'unir à eux pour s'agrandir d'eux. Mais il ne peut les « intégrer » comme il doit intégrer toutes ses forces vitales, et l'univers entier avec tous ses frères humains. Il doit s'ouvrir à eux pour les recevoir et se donner à eux les enrichir.

Il ne s'agit plus « d'intégration », mais de *communion*.

– Or, les simples « contacts » entre les esprits, les cœurs, les corps, n'engendrent pas forcément une humanité car :

• Les briques posées les unes à côté des autres, ou les unes sur les autres ne font pas un mur.

• Les hommes peuvent se serrer la main et même s'embrasser sans qu'il y ait entre eux rencontre, encore moins union.

• On peut frapper à la porte de l'autre ou entendre frapper à la sienne, mais chacun peut rester sur le seuil de sa maison, sans inviter l'autre à y rentrer.

– Les « contacts » sont les premières approches des hommes entre eux. S'ils sont sincères ils créent un premier lien, et permettent à la vie de circuler. Un seul regard bienveillant porté sur l'autre différent, lui permet d'exister. Celui qui le lui refuse l'enferme dans sa solitude et se referme sur la sienne ... Mais pour « faire humanité », il faut aller bien au-delà : sortir de chez soi et se recevoir l'un, l'autre.

C'est au niveau de la personne, du « je » et du « tu », que se situe la vraie rencontre et la possibilité de communion : je t'accepte différent de moi ; « je suis prêt à accueillir quelque chose de toi et à t'offrir quelque chose de moi ».

– Or, ce n'est pas le premier mouvement « naturel » de tout homme. Nous l'avons dit et redit, celui-ci n'est pas parfait puisque créé et recevant tout. Les chrétiens disent, qu'il est « fait à l'image de Dieu », mais pas qu'il est dieu. Il se prend souvent pour dieu et se fait centre.

Inachevé et donc en manque, l'handicap originel de l'homme, c'est de tenter, d'abord et toujours, de prendre lui-même ce qui lui manque : les choses dont il pense avoir besoin pour vivre, et les personnes dont il a besoin (corps – cœur – esprit) pour se compléter et devenir lui. C'est l'impasse, car c'est introduire la lutte dans les rapports des hommes entre eux, chacun cherchant à se réaliser pour son compte.

C'est aussi, nous l'avons vu précédemment, introduire le chaos dans le monde en construction.

– Pour devenir riche de tous ses « membres », l'homme doit se convertir. C'est-à-dire inverser totalement le sens de sa démarche, en *passant du désir de prendre* ce qui lui manque, *à la volonté de donner* ce qu'il a, et d'accueillir ce qu'on lui offre. Autrement dit, il doit s'entraîner à AIMER authentiquement tous ses frères sans exception.

Mais est-ce vraiment possible ?

Aimer tous les hommes sans exception[2]

– Il faut d'abord tenter de se débarrasser de l'idée bien ancrée chez beaucoup d'hommes, qu'aimer quelqu'un c'est purement et simplement *ressentir* envers lui de la sympathie, de l'amitié, de l'affection ... l'amour se mesurant alors à l'intensité des sentiments, de l'attirance, et de l'émotion éprouvée.

Si cela était, il serait évidemment impossible d'aimer tous les hommes, et surtout nos ennemis, comme Jésus le demande à ses disciples. Il serait aussi très difficile – impossible pensent certains – spéciale-

---

2. Nous avons déjà réfléchi sur ce qu'est aimer authentiquement (entre autres dans le chapitre sur la nécessité d'intégrer toute nos forces vitales : pages 33-34). Nous n'hésitons pas à nous répéter, tellement les erreurs sur l'essence de l'amour, entraînent des conséquences désastreuses dans la construction de l'homme, des couples et de l'humanité.

ment pour les couples, d'aimer dans la durée : « Si je n'éprouve plus rien envers toi, si je n'ai plus envie de toi, si je ne te désire plus, etc ... c'est que je ne t'aime plus ». Conviction qui s'installe d'autant plus fortement dans les couples quand un autre « sentiment », une autre attirance, etc ... sont nés, qui s'imposent comme le nouvel et véritable amour. Le précédent étant ... une erreur.

– Cette conception de l'amour est fausse, et dans la mesure où elle se répand ses conséquences en effet deviennent catastrophiques. Comme les mites dans le bois ou les vers dans le fruit, elles sapent par l'intérieur toute rencontre des hommes entre eux, non seulement dans les foyers, les amitiés, les camaraderies ... mais dans tous les groupements et le tissu vivant de l'humanité entière.

– *La racine de l'amour* (ce qui ne veut pas dire évidemment « le tout » de l'amour), c'est « essentiellement », *vouloir le bien de l'autre*. Pratiquement, vouloir pour lui – et chercher à l'obtenir directement ou indirectement – ce que l'on veut de juste pour soi. Et cela, quelle que soit la personne. Que celle-ci nous soit indifférente, sympathique ou antipathique qu'elle soit notre amie ou ... notre ennemie.

Disons, pour les chrétiens, que c'est cela que Jésus exprime dans son commandement de l'amour : « Tu aimeras ton prochain *comme toi-même* ».

– Si j'aime l'autre, c'est-à-dire si je veux son bien, je ne cherche pas à « prendre pour moi » les richesses qui m'attirent et me séduisent en lui, à tous les niveaux de son être. Ce serait m'aimer moi-même, et non pas lui. Je tente au contraire, de lui offrir tout ce que je peux de moi, afin de le combler.

Ce qui mesure la profondeur de mon amour, ce n'est donc pas l'intensité de mes émotions en face de l'autre, mais *le poids de vie que je lui donne*. Si j'aime un peu, je donne un peu ; si j'aime beaucoup, je donne beaucoup ; et si j'aime de « toutes mes forces », je donne toute ma vie. C'est encore ce qu'a dit Jésus : « Il n'y a pas de plus grande preuve d'amour que de donner sa vie pour ceux qu'on aime ».

Il n'y a pas d'amour s'il n'y a pas don de vie à l'autre. Aimer, c'est toujours donner la vie.

– Si aimer ce n'est pas prendre pour soi mais donner, c'est aussi, par contre, être capable de recevoir ce que l'autre nous donne librement, sans oublier que l'amour authentique demeure toujours gratuit. Dire : « Je te donne cela, qu'est-ce que toi, tu me donnes en retour ? » ; comparer, calculer, c'est du commerce et non de l'amour.

Il est évident que dans l'amitié et surtout dans l'engagement de deux personnes pour fonder un foyer, il faut qu'il y ait désir et volonté de réciprocité ...

Il reste qu'aimer c'est toujours risquer sa vie pour un autre ou les autres. Seul, l'homme en est capable.

Dans le mariage, aimer, c'est risquer *toute sa vie*.

* * *

– Mais alors, *en amour, quel est le rôle de la sensibilité* ; de tout ce que nous ressentons en face de quelqu'un ; de tout ce qui nous attire vers lui et nous fait dire : je l'aime ?

Cette émotion, qu'elle soit discrète ou bouleversante, qu'elle s'insinue lentement ou s'impose brusquement, n'est pas « en soi » *de l'amour*, mais une aide précieuse, et quelquefois indispensable – (comme dans la fondation d'un couple) – pour aimer. Loin de la mépriser ou de la refouler, il faut l'accueillir avec joie quand elle se présente. Elle aide à s'arracher du moi égoïste, à sortir de soi, pour aller vers les autres et à leur donner un peu ou beaucoup de notre vie.

– La sympathie, les « coups de cœur » sont autant de sonneries de téléphone qui invitent à la communication, de coups frappés à notre porte qui invitent à l'ouvrir, et nous attirent dehors.

Pour un chrétien, ce sont, à travers ces attirances naturelles, des signes de Dieu *qui appellent à un don de soi privilégié*, pour telle ou telle personne, ou groupe de personnes.

Heureux est-il alors, celui qui n'a pas coupé son téléphone et calfeutré sa porte pour ne pas entendre les appels, c'est-à-dire, qui par peur d'être dérangé, bousculé, et quelquefois même mis en danger d'être déséquilibré, n'a pas refoulé et étouffé sa sensibilité.

Mais attention. S'il est attiré en dehors de chez lui, ce n'est pas pour prendre ce dont il a envie, mais pour donner ce qu'il a à offrir. Sinon, il rate l'invitation à aimer.

– Certes, tu peux, généreusement et valablement décider avec *ta tête* d'orienter ta vie vers le don aux autres. Tu peux prévoir et programmer pratiquement par quel acte, quel geste, tu exprimeras ce don, aujourd'hui, demain, dans tel et tel cas précis, mais la sensibilité quand elle joue son rôle, te fait passer d'une froide décision de ton esprit et de ta volonté, d'une programmation méthodique, à *un besoin, une exigence, de tout ton être*. Elle permet à l'amour de prendre sa dimension d'engagement *total*. Comme nous l'avons dit, c'est avec tout notre être, pleinement intégré, qu'il faut aller vers les autres. C'est aussi ce que Jésus exprime quand il demande d'aimer Dieu et son prochain, « de tout notre cœur, de toute notre âme, de tout notre esprit ».

– La sensibilité, c'est l'antenne du cœur qui capte les plus petits appels de l'autre et des autres en face de soi, et nous pousse à leur donner une réponse d'amour à la mesure de leurs demandes. C'est elle, qui, lorsqu'elle irrigue tout notre être – et non le noie évidemment – nous permet de dire en vérité, avec l'abbé Pierre : aimer c'est « quand tu souffres, je souffre ». Tel est, en effet, le miracle de l'amour total de pouvoir être, en face du souffrant, non pas seulement celui qui regrette sa souffrance, celui qui en est attristé, mais qui mystérieusement la partage, en communiant à l'aimé.

Les chrétiens comprendront que seul, Jésus Homme-parfait a été jusqu'au bout de cette communion. Par son amour, la passion de toute l'Humanité est devenue SA PASSION.

– Est-il besoin de préciser que, si l'homme – qui tout en l'orientant, laisse épanouir pleinement sa sensibilité – s'expose à souffrir davantage que celui qui l'a refoulée, se dispose également à accueillir de grands bonheurs que d'autres ignoreront.

En se permettant de compléter la belle formule de l'abbé Pierre, nous pouvons dire : si aimer c'est : « quand tu souffres, je souffre », c'est également : « quand tu es comblé de joie, je le suis, moi aussi ».

– Tu veux essayer d'aimer « de toutes tes forces », tous les hommes, sans exception. Mais tu ne peux évidemment pas être en lien « physiquement » avec tous. C'est d'abord la qualité de ta présence et du don de toi-même à ceux qui sont autour de toi, ou que tu rencontres naturellement sur ta route, qui mesure la vérité de ton désir et ta capacité, d'agrandir ton regard et ton cœur, aux dimensions de l'humanité.

• Si recueilli en toi-même, tu rêves d'atteindre « ceux qui sont loin » : les plus délaissés, les plus pauvres, les plus souffrants ...

• Si en groupe tu discutes longuement et fais des plans pour mettre au point les meilleurs moyens d'aller à leur rencontre ...

• Si tu sors de ta maison les yeux fixés sur l'horizon du chemin, qui d'après toi, conduit vers eux ... « ailleurs »,

tu risques très fort de rater la rencontre de ceux qui sont « ici », à ta porte : ceux avec qui tu vis, tes voisins, tes collègues de travail, tes camarades de loisirs, etc ... ; ceux que les événements te font rencontrer sans que tu les aies choisis.

– On dit : « Loin des yeux, loin du cœur ». C'est souvent vrai pour les faux amoureux mais toi, dis-tu : j'aime ceux que j'aime quand ils sont près de moi ; s'ils s'éloignent je ne les aime plus ?

Ce n'est pas par les yeux, par les mains, par les lèvres ... que l'on rejoint le plus profondément ceux que l'on aime. La mère disant à son enfant qui laisse la maison familiale : tu peux être sûr, mon grand, *je serai avec toi* ; l'époux qui partant en voyage embrasse son épouse et lui murmure : ma chérie, *je t'emmène avec moi*, ont raison.

L'authentique amour se joue de la distance et du temps. La présence « physique » est limitée, la présence « spirituelle » s'ouvre sur un infini.

– Il faut quelquefois que nous soyons sevrés de la présence physique de ceux qu'on aime, pour que l'absence creuse en nous l'espace suffisant pour cette présence d'amour « spirituelle ». On s'aperçoit alors que si celle-ci est plus difficile, elle est aussi très réelle, et souvent plus riche, parce que plus pure. Oui, même loin d'eux, la maman est profondément unie à son enfant, et l'époux à son épouse, si leur amour est authentique.

– Quand on aime, face à l'autre et aux autres, on pense facilement qu'on leur donne beaucoup de notre vie, alors que l'on « prend » pour nous beaucoup de la leur. Il faut sans cesse purifier nos amours pour les approfondir. Encore une fois, c'est au poids de la vie donnée que se mesurent ces amours.

– N'oublie pas que si tu veux atteindre ta taille adulte, tu dois ouvrir les grands bras de ton « je », à tous les hommes, pour faire corps avec eux. Ils sont une partie de toi-même, et toi l'un de leurs membres. Ils ont besoin de ta vie comme tu as besoin de la leur.

C'est par une *présence d'amour* spirituelle que tu peux les rejoindre. Ayant assumé, puis intégré le plus possible toutes tes forces vitales, tu peux entrer chez toi, dans ton au-delà intérieur, et tout entier recueilli, t'unir à eux en leur offrant ta vie ...

– Le soir, peut-être :

• Quand tu repenses rapidement aux personnes que tu rencontres habituellement, ou à celles qui t'ont spécialement interpellé quand tu les as croisées ; aux coups de téléphone donnés ou reçus ; aux actions menées ...

• Quand repliant ton journal, éteignant ta télévision, tu te remémores les nouvelles du Monde à travers le flot d'images qui souvent hélas, révèlent les immenses souffrances des hommes, plus que leurs petits bonheurs ...

au-delà de ton esprit, ouvre ton cœur, n'exclus personne, et puisque beaucoup d'entre elles ont aujourd'hui frappé à ta porte, laisse les entrer et se reposer chez toi.

Chrétien, nous le dirons dans le chapitre prochain, rejoins aussi ton Dieu. Il est là, au plus profond de toi-même, d'une Présence d'Amour infini, et grâce à toi, en toi, Il rencontrera ceux que tu as accueillis.

– Et le matin, peut-être :

• Quand le réveil sonne et qu'une journée toute neuve se présente devant toi.

• Quand l'odeur du café (rappelle-toi !) te fait penser que des millions d'hommes t'attendent, toi aussi, pour prendre ta place sur cet immense chantier de construction du Monde ...

à nouveau recueille-toi, afin d'être pleinement présent sur la dure mais fertile terre du RÉEL, où avec tes frères les hommes, par ton action, si humble soit-elle, tu dois semer ta part de vie.

Pour toi, chrétien, une fois encore, c'est ton Dieu qui t'invite en son Fils Jésus Christ. Il est déjà au travail. Il l'est sans cesse. C'est Lui que tu rejoins en rejoignant tes frères. C'est avec Lui et en Lui, par l'action en commun, que grandit le Corps total de l'humanité.

Devenir « frère universel »

– Dans sa dimension horizontale, vers les autres hommes, l'homme achevé est celui qui s'étant spirituellement uni à tous, peut loyalement s'appeler suivant la belle expression du Père de Foucauld, « frère universel ».

Mais s'il est facilement concevable que vivre avec tous comme des frères est le seul moyen de construire un homme total et une humanité unifiée, *y parvenir ne se décrète pas.* Nous retrouvons là, et cette fois sous sa forme extrême, le décalage entre la conception et la réalisation.

• On peut en effet aider une personne, à intégrer ou réintégrer ses forces vitales perdues dans le défoulement et le refoulement ; l'ouvrir à son immense arrière-pays l'univers, et lui faire prendre conscience qu'elle n'est qu'un membre dans le grand Corps Humanité. Mais aucune réflexion, aucune décision, aucune loi ... ne peuvent changer un cœur d'homme, tourné vers lui-même, en un cœur fraternel, ouvert et disponible à tous.

• On peut également parvenir à concevoir et mettre peu à peu en place dans les groupes et dans la société en général, par idéal, par persuasion mais aussi hélas quelquefois par la force, de justes structures politiques, économiques, sociales, sans que de ces structures nouvelles, naisse un homme nouveau. Au contraire, l'homme inchangé finit par s'installer dans ces nouvelles structures et les récupérer à son profit. Tout est à recommencer.

– Alors, nous osons poser les questions essentielles :

• Est-ce que les hommes pourront un jour se reconnaître tous comme des frères, s'ils ne découvrent qu'ils ont un même Père qui les aime, comme on aime ses fils ?

• Est-ce qu'ils pourront vivre entre eux fraternellement, si un AMOUR tout-puissant, venant d'au-delà d'eux-mêmes, ne vient les retourner, les convertir, les re-créer en hommes nouveaux, comblant l'énorme déficit d'amour qu'ils ont creusé en eux et dans le Monde, en usant mal de leur liberté et en tentant de construire *seuls*, un Homme debout et un paradis achevé ?

• Et si cet AMOUR était QUELQU'UN ? Un frère. Un homme, venu leur révéler qu'ils ont en effet un Père commun. Un frère venu leur apprendre comment construire cet HOMME et ce MONDE réussis dont ils rêvent tous. Un frère venu leur proposer de les construire *avec eux*, jusqu'en éternité ?

Là s'ouvre à nous un immense chemin à explorer avec ceux qui croient que l'homme n'est pas suspendu dans le néant, venant de nulle part et allant nulle part. Nous le parcourerons spécialement avec les chrétiens, en ne pouvant retenir, une fois encore hélas, que quelques aspects essentiels.

Nous appelons cette dernière partie de nos réflexions : *la Dimension verticale* de l'homme.

Troisième partie

L'HOMME
ET SA DIMENSION VERTICALE

L'homme et sa dimension verticale

Avant de réfléchir en croyant, et ensuite plus particulièrement en chrétien, précisons une fois encore, comme nous l'avons dit plusieurs fois et dès les premières pages de ce livre, que l'homme, embarqué dans le train de la vie, *peut vivre sans savoir d'où il vient et où il va.* Qu'il peut également essayer d'aimer ses compagnons de voyage et y parvenir sans découvrir pleinement l'origine première de cette force qui le pousse et qui lui permet de leur donner un peu ou beaucoup de sa vie.

Alors, pourquoi l'inviter à la réflexion ? – Parce qu'il est *homme* et non pas animal, et que c'est le propre de l'homme non seulement d'être conscient qu'il existe, mais de chercher comment, pourquoi, et pour quoi faire ? – Parce que l'homme, loin d'être achevé, est encore appelé à grandir (beaucoup !) et qu'il ne pourra pas garder toujours refoulée dans son inconscient, la dimension d'infini de cette mystérieuse Énergie d'Amour qui sourd en lui et l'anime, mais vient d'au-delà de lui, et cherche à s'épanouir hors de lui. Sinon, il se dés-humanisera et peut-être lentement se ré-animalisera, ou plutôt, ce qui est plus grave encore, se retournera, au point de mettre son esprit au service de son animalité. Ne pensons-nous pas quelquefois, devant tel comportement ou tel drame, individuel ou collectif que nous appelons « monstrueux » : mais là, où donc est l'homme ?

**

L'homme s'ouvre sur l'infini

Pour nous, l'homme ayant intégré le plus possible toutes ses forces vitales, étant ouvert à l'univers pour en accueillir la vie ; puis s'intégrant à cet univers transformé pour tenter de « l'humaniser » en orientant son développement et son aménagement vers le service des autres ; étant enfin ouvert à tous ses frères, non pas cette fois pour les

173

intégrer, mais pour entrer en communion et « faire corps » avec eux, cet homme n'est pas achevé. *Il lui manque sa dimension d'infini.* Car nous croyons qu'il n'est pas suspendu dans le néant, relié à ... RIEN.

*_**

– Croyant, tu es en effet persuadé avec nous :

• Que tu n'es pas un chemin qui vient de nulle part, et conduit nulle part.

• Que tu n'es pas un fleuve sans source, qui ne court vers aucune mer pour aller s'y jeter.

• Que tu n'es pas qu'une étincelle de conscience, éclatée par hasard, un jour, dans la nuit du non-sens.

Tu refuses avec nous :

• D'être condamné à l'absurde, perpétuellement écartelé entre ton pouvoir de penser, et l'impossibilité de te comprendre et de comprendre le monde.

• D'être habité par d'immenses désirs de vivre, d'agir, de t'épanouir, d'être aimé et d'aimer ... autant de faims et de soifs sans limites, qui te tenaillent, sans jamais pouvoir être humainement, totalement rassasiées.

• D'être livré à de sourdes angoisses qui dans ton inconscient sapent ta vie, quand elles n'éclatent pas dans ton conscient entraînant de petites ou de grosses dépressions. Angoisse surtout de n'être jamais sûr d'être pleinement rejoint dans ta solitude foncière, et d'être un jour, sans explication, privé de vie : la mort.

*_**

– Ta dimension d'infini, tu la portes en toi, comme le grain porte la vie qu'il a reçue, et les fleurs et les fruits qu'il donnera. Car ta vie, tu le sais, ne vient pas de toi-même, et ceux qui t'ont précédés n'ont fait que te la transmettre. Elle est pour toi, signe d'un Absolu tout-puissant, Dieu, Source de cette vie qui passe par toi, mais te dépasse, et dépasse toute l'humanité et tout l'univers.

174

Heureux es-tu de l'admettre. D'accepter d'essayer d'entrer en relation avec ce Dieu auquel tu crois plus ou moins, sans peut-être encore le connaître. Car si tu refoules cette dimension de ton être – que nous appelons la dimension verticale – comme pour tous les refoulements, tu te mutiles. Mais cette fois plus gravement. Car les refoulements de l'esprit, les refoulements affectifs, sexuels, etc ... sont des refoulements d'humanisation et de personnalisation, mais nous allons en prendre conscience maintenant, ces refoulements « spirituels » sont des refoulements *de divinisation*.

L'homme est alors en très grand danger d'inachèvement. Beaucoup en souffrent plus que nous le pensons.

* *
*

L'homme tente de rejoindre la source de sa vie : la prière « naturelle »

– De même que l'homme, pour devenir pleinement lui-même, doit rassembler toutes ses forces vitales dans les grands bras de son « je » ; s'ouvrir à la terre et à l'univers matières premières de sa vie ; accueillir ses frères sans en exclure aucun ; il doit plus encore, s'il croit que sa vie vient de Dieu, ouvrir tout son être à cette vie qui lui est offerte, comme les rives du fleuve doivent s'élargir pour accueillir l'eau qui lui vient de sa source.

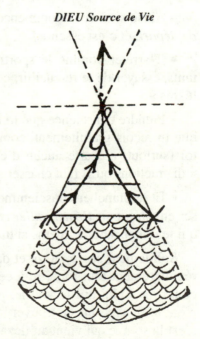

DIEU Source de Vie

Reconnaître sa Source et se situer consciemment dans son axe, c'est la première et nécessaire attitude de ce que tous les croyants appellent la prière.

– La prière n'est pas en effet un domaine réservé aux croyants confirmés.

Tout homme peut et doit prier *quel que soit au point de départ*, le *contenu de sa foi*. Prier, c'est d'abord un acte naturel, aussi naturel que celui de l'athlète qui s'arrête quelques instants et *prend conscience*, que respirant profondément, il irrigue tout son être de l'oxygène qui le fait vivre.

– Certes, la prière de chacun évolue, comme évolue sa vie et plus encore heureusement sa Rencontre et sa connaissance de Dieu. C'est une route qui s'ouvre sur l'infini. Nous le comprendrons et l'expérimenterons peu à peu. Mais toi, si tu penses n'être qu'au début de ta démarche ; si Dieu n'est encore pour toi que le grand Inconnu à qui tu fais cependant vaguement confiance, surtout ne pense pas que tu es exclu de la prière. Dieu t'attend, comme il attend tout homme, et la prière n'est pas un exercice que l'on apprend, mais une démarche dans laquelle il faut entrer pour pouvoir la vivre.

– Ainsi, si tu veux commencer à prier, tu peux simplement, *au point de départ*, et c'est essentiel :

• T'arrêter comme le sportif, puis ne serait-ce que quelques instants, essayer de te re-cueillir, corps, cœur, esprit, le plus possible « intégrés ».

• Prendre conscience que tu *EXISTES*. Que tu es *VIVANT* d'une vie que tu reçois gratuitement, comme la reçoivent ceux que tu portes en toi (surtout, n'écarte aucun d'eux, ils ne sont pas dans ta prière des « distractions qu'il faut chasser » !)

• Et te brancher consciemment sur cette vie. T'offrir à elle, te laisser envahir, puis *t'émerveiller et REMERCIER*. Surtout remercier celui qui te donne à boire, même si tu ne sais pas encore le nommer.

Solidement ancré en toi et dans la vie que tu vis, si tu ouvres ainsi régulièrement tout ton être à cette dimension d'infini, très vite tu découvriras Celui qui te vivifie, parce que nul ne peut remonter fidèlement le fleuve sans en trouver la source, et que par le fleuve qui coule, c'est la source qui vient au-devant de lui.

Si tu accueilles la vie, tu accueilles, même sans le connaître, Celui qui te la donne.

– Ne dis pas : Comment puis-je m'émerveiller et remercier pour cette vie, elle est si souvent polluée, en moi, dans les autres, dans le Monde ?

C'est ta cruche et ton verre, et ta bouche et ton cœur, qui sont pollués. Nous le disions déjà au début de ce livre (page 25-28), au fond de toi, là où tu ne peux accèder, ta vie, elle, jaillit chaque jour toute neuve et toute pure, car elle vient d'un Amour infini.

– Oui, accueille, émerveille-toi et rends grâce. Surtout, ne commence pas par demander quoi que ce soit, si ce n'est de vouloir et de pouvoir remercier plus encore. Autrement, tu t'engagerais dans une voie sans issue, celle qui butte devant un faux dieu que tu rejetterais rapidement parce qu'il n'exaucerait pas tes demandes. Dieu n'est pas un supermarché où tu peux à ta guise faire tes provisions. Il est une « Personne » qui vient vers toi, comme un amoureux passionné qui attend d'être reconnu.

– Ainsi, ne mets pas la prière de travers et encore moins à l'envers, en essayant de prier « après » avoir longuement réfléchi sur tes problèmes vis-à-vis de Dieu. Car avant de respirer, fais-tu une étude approfondie sur l'oxygène et son merveilleux travail d'animation de tout ton être ?

Prie d'abord. Et si tu n'es pas encore sûr que ta Source est « Quelqu'un » mais que tu tiens à être loyal, dis : « *Si tu es* Celui que je cherche et qui me donne la vie, me voilà pour te remercier et te remercier encore. » Alors tu pourras réfléchir. Ta prière et ta réflexion seront orientées dans le bon sens. Sinon, tu mourras très vite de soif devant les cartes et les plans où tu cherches ta Source, comme devant tes savantes études pour essayer de la « capter ».

– Car si tu ne peux pas « intégrer » de force tes frères pour t'agrandir d'eux, mais seulement t'ouvrir tout grand pour les accueillir, quand ils se donnent à toi, tu ne peux encore moins, évidemment, essayer de ravir Dieu pour tenter de te l'approprier. Dieu ne se prend pas, Il se donne.

Beaucoup d'hommes perdent du temps à essayer de le rejoindre, par des moyens uniquement « humains ». La rencontre de Dieu, et la foi en Lui, ne sont pas au bout de nos savantes attitudes de concentration, nos profondes réflexions ou nos bouleversantes émotions. Disons dès maintenant, que c'est au contraire quand on vient au-devant de lui, pauvre de tout, enfant désarmé mais disponible et confiant, qu'il peut enfin venir nous combler en nous révélant qu'il n'est pas une source de vie impersonnelle, mais « Quelqu'un » d'infiniment aimant à qui, en toute vérité, on peut s'adresser, en lui disant « PÈRE ».

*
* *

Les chercheurs de Dieu, sur la route de l'histoire

– Sur la déjà longue route de l'Histoire humaine – et qui, pourtant, n'est probablement encore qu'à son début – tu n'es pas le seul « chercheur de Dieu ». Mais hélas, beaucoup hier se sont trompés de chemin, comme beaucoup se trompent aujourd'hui. Ils n'ont pas rencontré celui qu'ils cherchaient. Plus triste encore, beaucoup ne l'ont pas reconnu lorsqu'ils l'ont croisé. Car celui qu'ils imaginaient, ou dont hélas on leur avait parlé, ne lui ressemblait pas.

Ce n'est pas étonnant. Dieu n'est pas à notre portée. Nos yeux ne sont pas assez grands pour le voir ; notre cœur assez large pour l'accueillir ; notre esprit assez profond pour le concevoir. Il est « tout autre ». D'ailleurs, saint Jean dira : « Dieu, personne ne l'a jamais vu ». (Jean 1, 18)

– Certains hommes, au cours de l'Histoire, ont alors conclu, plus ou moins vite : si on ne peut ni rencontrer Dieu, ni le voir, c'est qu'il n'existe pas. Alors, *individuellement*, ils ont voulu grandir, se compléter et s'achever par leurs propres moyens. En eux, dès le début soufflait le désir de puissance : réfléchissez et vous deviendrez capables de découvrir ce qui est caché ; de comprendre ce que vous ne pouvez pas encore comprendre, et surtout de faire ce que vous ne pouvez pas faire aujourd'hui ; les portes de l'infini s'ouvriront devant vous : « Vous serez comme des dieux ! » (Genèse 3, 5). Vous n'avez pas besoin d'un Dieu pour devenir des dieux.

Collectivement, ils voulurent réaliser, également par leurs seules forces le « paradis terrestre » dont ils rêvaient : « Allons, bâtissons une ville et une tour dont le sommet atteigne les cieux ». (Genèse 11, 4)

Les uns et les autres ont échoué. Ceux qui les imitent aujourd'hui, échouent et échoueront encore, car l'homme seul ne peut atteindre l'infini.

– D'autres hommes, nous l'avons dit plus haut, réfléchissent. Ils ont raison puisqu'ils ne sont pas « bêtes ». Mais ils réfléchissent seuls et se trompent. Ils se disent : puisque nous existons et que les autres et le Monde existent, il doit bien y avoir « quelqu'un au-dessus de nous ». Et puisqu'ils ne peuvent ni voir ni connaître ce « Quelqu'un », ils l'imaginent. Ils se fabriquent un dieu à partir d'eux-mêmes. Ils pensent qu'il doit « être » ce qu'ils désirent être et « avoir » ce qu'ils désirent avoir ... Mais à l'infini, c'est-à-dire, être *un « tout-puissant »*, mais *à la façon des hommes* : quelqu'un qui possède, ordonne et dirige tout, et puisqu'il a tous les pouvoirs, distribue la vie et ses dons, à qui il veut, quand il veut, pour le temps qu'il veut ; quelqu'un dont il faut alors faire toutes les « volontés » et qui récompense ou punit suivant notre obéissance et nos « mérites ».

Ce dieu n'est pas celui auquel nous croyons, mais une déplorable caricature. À la limite, un faux-dieu.

– Comment le savons-nous ?

– Parce qu'Il nous l'a dit.

*
* *

L'homme ne peut pas connaître Dieu de lui-même

– Les chrétiens croient que Dieu n'est pas un tout-puissant à la façon des hommes, mais un Tout-Puissant de l'AMOUR. Nous allons y réfléchir plus loin. Or, comme tous les amoureux Il désire se faire connaître à ceux qu'Il aime. Il leur fait signe, et Il leur parle. On dit qu'Il se « révèle ».

Entre nous, nous faisons déjà cette expérience. Chacun de nous est un mystère, et nul ne nous connaît vraiment si nous ne nous « révélons » pas à lui, par des gestes et des paroles sincères. Non pas des paroles dites et reçues avec notre tête seulement, mais aussi avec notre cœur. C'est-à-dire en aimant.

C'est pour cela que nous ne pouvons pas connaître Dieu uniquement en raisonnant. On « n'apprend » pas Dieu, on le fréquente amoureusement. Alors on comprend peu à peu, qu'Il n'est pas une idée à laquelle on adhère, mais une personne dont on découvre qu'elle nous aime, et que l'on aime.

— En amitié comme en amour, nous ne nous disons pas tout, tout de suite. Ce n'est que progressivement que l'on se fait connaître à l'autre. Au fur et à mesure que celui-ci peut nous comprendre et qu'il nous fait confiance. C'est-à-dire *qu'il a « foi »* en nous.

Ainsi Dieu ne s'est pas imposé à l'homme. Il a respecté son évolution et ne s'est révélé à lui que peu à peu, à la mesure de sa disponibilité pour l'accueillir, et de la confiance qu'il lui accordait.

— Certains hommes ont été plus attentifs. Ils ont remarqué plus que d'autres les signes que Dieu leur faisait, à travers la nature, leur propre histoire et l'histoire de leur peuple. Ils ont prié. Alors Dieu « leur a parlé » comme ils disent, c'est-à-dire qu'au fond de leur cœur, Il s'est révélé à eux, et ces Grands Priants ont dit à leurs frères ce qu'ils avaient entendu et compris de Lui et ce qu'il leur fallait faire eux aussi pour le rencontrer et tenter de Lui être fidèles.

* * *

— Parmi les croyants au Dieu Unique et Tout-Puissant, *les chrétiens*, eux, croient enfin – et ils se distinguent ainsi de tous les autres croyants – que Dieu s'est définitivement révélé dans et par son Fils Jésus. Saint Paul, dans une lettre aux Hébreux, résume en une phrase ce cheminement de Dieu, venant au-devant des hommes pour se faire connaître et leur proposer son amour : « Dieu, après avoir à bien des reprises et de bien des manières parlé autrefois par les prophètes, en la période finale où nous sommes, nous a parlé par son Fils ... » (Hébreux 1-1, 2).

Depuis que Jésus est venu et a parlé, nous disons que la « Révélation » est accomplie. C'est-à-dire que Dieu a révélé de Lui tout ce qui est nécessaire pour que nous le connaissions et soyons en mesure de choisir librement de nous ouvrir à Lui (dimension verticale) afin que grâce à son Fils, en le rencontrant et en faisant corps avec Lui, nous puissions achever notre développement d'homme total, c'est-à-dire non seulement d'homme pleinement humanisé et personnalisé, mais *divinisé*.[1]

Le Dieu des chrétiens

– Dans l'Ancien Testament, Dieu s'est révélé à Moïse non pas comme celui qui possède tout (avoir), mais comme celui qui EST : « Je suis Celui qui EST » (Exode 3-13, 15), et Jésus, achevant la Révélation nous a dit que Dieu *ÉTAIT PÈRE, infiniment puissant d'Amour.*

Dieu EST PÈRE, c'est-à-dire qu'Il donne la vie. Toute vie. Et il la donne par amour. S'il arrêtait de nous aimer nous cesserions d'être. Qui que nous soyons, quel que soit notre comportement, nous pouvons donc dire : *si j'existe, c'est que je suis aimé.* Être homme, pleinement conscient, c'est alors accepter librement cette vie. Se laisser créer. Se laisser aimer.

---

1. On ne peut pas tout dire. Mais souviens-toi, une fois de plus, que Dieu a fait de nous des « êtres de relation ».

Déjà dans l'Ancienne Alliance, c'est *avec les autres* que les « grands priants » dont nous venons de parler ont mieux compris le sens des vérités qui leur étaient confiées. Et la Bible est l'expression de la foi de tout un Peuple plus encore que l'œuvre de quelques grands génies isolés.

De la même manière, le Message de Jésus Christ a été reçu par une *communauté* de disciples, chargée de le transmettre de génération en génération. Et c'est encore *ensemble*, en relation les uns avec les autres, que nous les recevons aujourd'hui pour le transmettre à notre tour.

– *Dieu est PÈRE TOUT-PUISSANT D'AMOUR*, c'est-à-dire qu'il n'est pas « celui qui aime plus que tous » – ce serait encore une conception « humaine » de Dieu – C'est son ÊTRE même qui est AMOUR. Il n'y a que de l'AMOUR en Lui. Saint Jean nous dit : « Dieu *est* Amour » (Première Épître de Jean 4, 16).

Il est Amour parce qu'il est Trinité. Trois personnes tellement unies qu'elles ne font qu'UN :

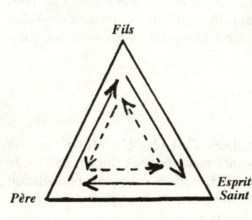

• *Le Père*, source de vie, qui se donne tout entier au Fils.

• *Le Fils*, qui se recoit tout entier du Père, et à son tour se donne totalement à Lui.

• Et ce don mutuel, cet Amour parfait étant une troisième personne : *l'Esprit Saint.*

– C'est en Dieu, cette *Relation d'Amour parfait*, ce don et cet accueil total, qui le fait « être ». C'est pour cela que les théologiens disent que Dieu est « relation subsistante ». Et c'est pour cela que nous avons dit dès le début de cet ouvrage pour éclairer la route des chrétiens, que, créés à l'image de Dieu, nous nous faisons dans et par la relation. C'est la qualité de nos relations à l'intérieur de nos trois dimensions : en nous-même ; vers l'univers et vers les autres ; vers Dieu, qui fait la qualité de notre être et la vitalité de notre existence.[2]

---

2. Ici encore, il faut nous limiter : on ne peut pas tout dire. Mais il serait bien dommage de ne pas ouvrir encore une piste à ta réflexion : cette *unité dans l'amour mutuel*, qui met en relation les trois Personnes divines, est à la fois le *modèle et le fondement* de l'unité que les chrétiens sont appelés à vivre entre eux. La plus petite équipe de chrétiens, la plus modeste communauté d'Église à cette vocation extraordinaire : manifester par son unité quelque chose de la vie intime de Dieu qui l'habite. C'est bien le sens de la prière ultime de Jésus à la veille de sa mort : « Père, qu'ils soient UN, entre eux, comme nous sommes UN, pour que le monde puisse croire ». (Jean 17, 21-23)

– C'est en Dieu, au sein même de la Trinité, que jaillit ainsi *la Source de la Vie*, au cœur de ce surgénérateur d'Amour qui jamais ne s'éteint.

C'est cette Source inépuisable qui déborde et se répand hors d'elle-même, pour animer l'univers, l'homme et l'humanité, en faisant circuler la vie.

La création est inexplicable sans l'Amour infini du Père. Sans amour il n'y a pas de vie donnée.

***

• Comme l'aimant attire irrésistiblement la limaille,

• Comme le soleil attire la plante,

• Comme un visage aimé séduit et rassemble toutes les forces de celui ou celle qui veut donner et se donner.

Ainsi l'Amour de Dieu attire celui qui le découvre, il oriente l'histoire de chacun comme l'Histoire de tous vers cet infini de l'Amour. Il fait « monter » l'homme, l'univers, l'humanité, vers le rendez-vous éternel au cœur de la Trinité.

– Nul ne peut grandir s'il n'est aimé, et nul ne peut s'épanouir pleinement s'il ne le sait et le croit.

La Création, c'est toujours la vie semée par Amour, et toujours développée au soleil de cet Amour.

Ainsi, pour le chrétien, croire en Dieu, c'est croire *en Dieu Tout-Puissant d'Amour*. Amour – qui par Jésus Christ et l'Esprit Saint, nous le verrons – redresse tout ce qui est tordu, refoulé, éclaté ; nous ré-unifie et oriente toutes nos forces vives vers le don aux autres et la Trinité ...

C'est pour cela qu'il ne faut pas se tromper sur l'identité de Dieu.

***

Parce que Dieu EST AMOUR, PÈRE infiniment puissant d'Amour, il n'est absolument pas, comme nous l'avons dit précédemment, celui que beaucoup ont imaginé et que nous imaginons encore hélas trop souvent. C'est-à-dire un tout-puissant à la façon des hommes, que nous continuons souvent de prier pour tenter d'obtenir quelque chose de cette puissance ... humaine. C'est un affreux malentendu. Il ne peut pas nous exaucer. Il est tout autre. Ainsi :

• Dieu n'ordonne rien à la façon des hommes qui détiennent un peu ou beaucoup de pouvoirs. Il ne dit pas « je veux », mais toujours je voudrais, je souhaite. Dieu n'a que des désirs[3] afin de nous laisser l'espace de liberté nécessaire pour répondre par l'amour à son Amour.

• Dieu ne punit jamais. Il pardonne toujours. C'est une faiblesse de l'homme d'être parfois obligé de punir. L'humiliant aveu d'un amour imparfait. C'est nous, qui nous punissons nous-même, en n'exauçant pas le désir de Dieu sur l'homme. Nous l'abîmons, nous le mutilons. À la limite, nous le détruisons.

• Dieu ne nous enlève pas la vie. Il nous la donne. Sans cesse. Quand elle meurt en nous et dans les autres parce que nous cessons de nous laisser aimer et d'aimer ; quand elle semble mourir en notre corps comme le grain enterré, Il la ré-suscite par son Fils Jésus Christ. Celui-ci a dit : « Celui qui croit en moi ne mourra jamais ». (Jn 11, 25-26)

• Dieu n'a rien à nous donner (avoir) puisqu'il ne possède rien. Mais il nous offre ce cadeau inestimable : son Amour infini de Père qui nous permet, si nous l'accueillons, d'être fort de cet Amour tout-puissant.

– L'homme hélas – nous l'avons dit plusieurs fois – ne comprenait pas, ou infidèle, il se dérobait. Il voulait voir Dieu de ses yeux de chair et ne le voyait pas ; entendre ses mots et ne les entendait pas. Souvent même, comme un enfant qui ferme les yeux et de ses mains couvre son visage, il faisait en lui la nuit, accusant Dieu de se cacher. Il devait faire confiance dans le désert et le silence. Il devait divorcer d'avec ses rêves d'un Dieu tout-puissant à la façon des hommes, et surtout de son orgueil qui sans cesse le poussait à réaliser seul son secret désir de devenir « comme Dieu ».

---

3. D'où le titre du dernier livre de M. Quoist, *Dieu n'a que des désirs*, Éditions de l'Atelier, Paris.

– Alors, *c'est Dieu qui est venu au-devant de nous*. Poussé par l'irrésistible Amour du Père, le Fils s'est fait homme pour qu'en lui nous puissions enfin le voir, l'entendre, le connaître et si nous le voulions devenir nous aussi des fils de « Notre Père qui est aux cieux ». Mais il est venu nu sur la terre et reparti nu, vers « le ciel ». Beaucoup attendent encore, de multiples manières le Messie dont ils rêvent toujours.

C'est l'histoire de l'Humanité.
C'est l'histoire de certains d'entre nous.

*
* *

Et toi, où en es-tu de la rencontre ?

– Tu ne te contentes pas :

• de croire que Dieu existe et qu'Il te donne la vie,

• de croire par procuration, parce que tu as été élevé comme ça ; c'est-à-dire croire ce que croient tes parents, ta famille, tes amis, ton milieu, puisque c'est l'habitude, et que globalement tu leur fais confiance.

• d'adhérer à « la religion », comme on s'inscrit à une association, et de faire ponctuellement la majeure partie de ce qu'il faut faire pour y être fidèle ...

Mais *tu veux rencontrer Dieu personnellement*, le connaître pour lui parler comme à quelqu'un, t'unir à lui profondément et devenir son ami.

Tu as raison, car tu es fait pour cela et pour une union beaucoup plus profonde que tu ne peux l'imaginer. Nul ne peut être homme pleinement accompli et pleinement heureux, tant qu'il ne parvient pas à cette union, dès aujourd'hui, dans cet au-delà mystérieux mais RÉEL dans lequel il entrera, quand il aura franchi la frontière du temps.

– Dieu aussi désire te rencontrer personnellement. Depuis toujours. Comme l'écrit saint Paul aux Éphésiens[4] : avant même la Création du Monde et la nôtre « il pensait à nous *dans son Amour*, désirant que nous soyons *ses fils adoptifs en Jésus Christ* »

Tu es choisi et aimé de toute éternité. Mais ta réponse est la tienne. Tu es libre.

_____

4. Éphésiens 1, 3 et suivants.

Et le verbe s'est fait chair ... grâce au oui de Marie

Au commencement était le Verbe[1] et le Verbe était auprès de Dieu, et le Verbe était Dieu. Il était au commencement près de Dieu. Toutes choses ont été faites par lui et sans lui rien n'a été fait. Ce qui a été fait en lui était vie et la vie était la lumière des hommes ; la lumière brille dans les ténèbres et les ténèbres ne l'ont pas arrêtée ... Il est venu chez les siens, et les siens ne l'ont pas (tous) reçu. Mais à tous ceux qui l'ont reçu et qui croient en son nom il a donné le pouvoir de devenir enfants de Dieu ... *Et le Verbe s'est fait chair, il a habité parmi nous*, et nous avons vu sa gloire, la gloire qu'il tient de son Père comme Fils unique, plein de grâce et de vérité ...

« Dieu, personne ne l'a jamais vu ; le Fils Unique qui est dans le sein du Père, *c'est lui qui l'a révélé* ».[2]

Il est *l'image du Dieu invisible*, le premier né de toute la création ... (Colossiens 1, 15)

* * *

– Bien plus que la pensée devient un jour livre,

• Bien plus que quelques mesures de musique deviennent un jour symphonie,

• Bien plus que deux désirs unis deviennent un jour amour,

• Bien plus que le fruit d'amour devient un jour chair vivante,

En Marie, par l'Esprit d'Amour, le Verbe de Dieu, la Parole, accueillie et chaque jour méditée, a pris un jour racine, pour nous donner Jésus.

---

1. « *Le Verbe* » : la Parole sustantielle et éternelle du Père. C'est-à-dire que le Père se dit tout entier dans une seule « Parole » : son Fils Unique, la deuxième personne de la Trinité.

2. Du magnifique *Prologue de l'Évangile de saint Jean* : 1, 1 ... 18.

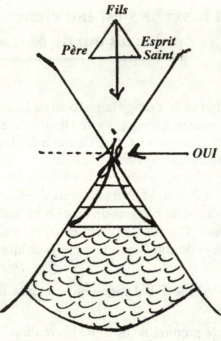

Fils

Père

Esprit Saint

OUI

— Marie liberté pure, fine pointe de l'humanité, entièrement recueillie, corps, cœur, esprit, a dit OUI, dans la nuit de la foi. Mystère de Dieu en son Esprit d'Amour qui peut tout, en celui qui librement l'accueille.

Par ce oui, le Fils de Dieu a mis « pied à terre », comblant définitivement la distance infinie entre lui et nous, son désir et le nôtre, sa vie et la nôtre, comme celle de l'univers et de l'humanité.

— Premier OUI qui dans la nudité la plus totale inaugure l'histoire de ces oui innombrables des hommes, qui tous à leur place dans le temps et l'espace, devront dire les leurs ; pour que Jésus grandisse et devienne le Grand Jésus Christ Total dont le Père rêve depuis toujours ; et pour que les hommes enfin achevés, cœurs unis comme des frères, puissent battre éternellement au rythme même de la Trinité.

* * *

Jésus de Nazareth

— Jésus de Nazareth se révèle à nous non seulement comme « l'image du Dieu invisible » (Colossiens 1, 15) mais aussi comme l'image de l'homme pleinement réussi. Car le Fils de Dieu se faisant homme ne pouvait devenir qu'*homme parfait* ; lui-même, personnellement, « Jésus historique », mais aussi Jésus Christ total, c'est-à-dire avec nous, tous les membres de son Corps mystique (sa dimension horizontale, vers les hommes).

– Il n'y a donc qu'un homme *parfaitement* réussi, c'est Jésus de Nazareth et quand il nous demande de devenir parfait « comme notre Père céleste est parfait », ou d'aimer nos frères « comme il nous aime », ce n'est pas individuellement à notre portée. C'est avec Lui et en Lui que nous pouvons y parvenir, et c'est pour nous le permettre, qu'Il est venu chez nous.

* * *

– Si tu veux connaître Dieu et l'homme, il faut donc fréquenter Jésus de Nazareth. En essayant de l'imiter nous devenons davantage « à l'image de Dieu », mais aussi homme de plus en plus « à l'image de son Fils ».

Certes, Dieu peut donner rendez-vous à chacun d'entre nous dans des lieux et à des moments différents de notre existence et se présenter comme le Père, ou l'Esprit Saint, mais on oublie quelquefois que la voie première et « naturelle » de notre rencontre, c'est Jésus. Il l'a dit lui-même : « Je suis le chemin, la vérité, la vie ».

C'est peut-être parce que certains empruntent, ou qu'on leur fait emprunter d'autres routes, qu'ils se trompent sur la véritable identité de l'homme et de Dieu.

* * *

– C'est à travers l'Évangile que nous connaissons Jésus de Nazareth.

Nous savons bien sûr que ces évangiles ne sont pas les recueils précis des paroles et des faits et gestes de Jésus, mais le fruit des méditations de ses disciples et des premières communautés de croyants ; des exposés composés par les évangélistes pour l'enseignement et la prière de ces différentes communautés. Il s'agit certes, de l'essentiel de la vie et du message de Jésus, mais relu après Pâques à la lumière de la résurrection.

Ces textes reçus et médités dans la foi nous permettent alors de découvrir *la Réalité de Jésus dans toutes ses dimensions* en nous faisant accéder à l'au-delà des mots, des gestes et des événements qui éclairent l'infinie richesse de l'humanité de Jésus.[3]

– Jésus est un homme. Un vrai. Il ne nous a pas été donné « tout fait » mais comme nous tous, il s'est fait peu à peu, lui-même, au milieu d'influences diverses, grandissant dans une famille, un village, une profession, une religion, une tradition ...

* * *

– *Jésus est comme nous, à « trois étages »* : corps, cœur, esprit. C'est une évidence. Mais en lui, ces trois étages sont parfaitement unifiés sans aucune trace de défoulement ou de refoulement.

Disons simplement qu'en parcourant les évangiles on pourrait étudier combien toutes ses forces vitales sont parfaitement intégrées et toutes orientées vers le service des autres, celui de son Père et de la mission qu'il lui a confiée. À regret, une fois encore, nous n'ouvrirons que quelques pistes.

• Au plan physique, Jésus est solide et résistant. Sa vie missionnaire est éprouvante et s'il est dépendant de son corps comme tout homme (il a faim, soif, il est fatigué ...) il n'en est jamais l'esclave. Il dort, mais se lève tôt pour prier et se relève la nuit. Au puits de la Samaritaine, il déclare aux disciples qui le bousculent pour venir manger : « Pour moi, j'ai de quoi manger, c'est une nourriture que vous ne connaissez pas » (Jean 4, 31-34).

Certains soulignent les réactions violentes de Jésus. Ils ont raison, car il n'est pas le « doux Jésus » que d'autres imaginent. Mais la violence de ses actes ou de ses paroles n'est jamais le débordement d'une vitalité physique ou sensible incontrôlée. Elle est « violence d'amour »

---

3. Ici encore, souviens-toi que tu es voulu par Dieu comme un « être de relation ». Ta rencontre de Jésus Christ ne peut être que *personnelle* et incommunicable, mais tu ne peux la vivre qu'*en lien avec d'autres,* appelés à le rencontrer personnellement eux aussi.
Si tu es chrétien, regarde ton passé : pense à tous ceux, connus ou non, qui t'ont aidé dans ta marche vers le Christ, ceux par qui tu as entendu parler de Lui, ceux qui t'ont amené à connaître les Évangiles et à avoir envie de t'en nourrir, et jusqu'à tous ceux qui, il y a environ 1900 ans, ont contribué à les composer et à ceux qui nous les ont transmis de génération en génération.

orientée vers les obstacles à renverser (commerce dans le Temple, mais aussi mur des richesses en général, orgueil ...). Elle n'est jamais réaction de vengeance, rancœur, et encore moins de haine ...

• Jésus n'a pas refoulé *sa sensibilité*. Au contraire, celle-ci est pleinement épanouie et s'exprime sans réticence dans ses paroles et ses gestes. Il s'attendrit devant les enfants, il les embrasse. Il n'écarte pas les caresses des femmes ... (même pécheresses !), pas plus que leurs baisers. Il est ému devant la détresse de la veuve, qui vient de perdre son fils. Il pleure à l'annonce du décès de son ami Lazare, puis devant son tombeau. Il a des préférences parmi les personnes qu'il rencontre et même parmi ses apôtres : « le disciple que Jésus aimait », mais sa sensibilité est parfaitement canalisée et orientée : il choisit Pierre et non Jean, quand il nomme le premier responsable de l'Église.

• Jésus est doté de très grandes *qualités spirituelles* (qualités naturelles, il ne s'agit pas ici de surnaturel) : intelligence profonde, imagination, facultés d'expression, etc. Et le spirituel en lui s'est pleinement épanoui, intégrant dans sa remarquable personnalité (son « je ») toutes ses forces vitales au point qu'il est capable de se mettre tout entier dans un seul regard : « Il le regarda et il l'aima » ; dans une parole « Dis seulement une parole et mon serviteur sera guéri » ; dans un contact : « Si je peux toucher la frange de son manteau » ; dans un appel : « Viens et suis-moi ».

* *\
*

– *Dans sa dimension horizontale*, Jésus est tout grand ouvert *sur la nature*. Il la regarde. Il l'aime et la respecte. Mais il montre qu'il est capable de la dominer pour le service de ses frères, au lieu de se laisser dominer par elle.

Là se situent tous les miracles qu'il fait, montrant ainsi sa puissance sur l'univers : il commande à la tempête, aux autres, aux maladies et aux infirmités. Non pas des gestes extra-ordinaires, pas plus que de simples actions de guérisseurs et autres thaumaturges comme il en existait et qui pourtant ne suivaient pas Jésus ; non pas suppression ou bouleversement des lois de la création, mais rectification de certains de ses disfonctionnements, et *élévation*[4] *de celle-ci à son plein épanouissement* naturel en l'ouvrant sur le surnaturel.

Miracles qui sont autant de « signes » que la puissance de l'Amour de Jésus et la foi en cette puissance, peuvent rectifier et même vaincre le mal mystérieusement inscrit au cœur de l'univers et clairement lisible dans le cœur de tout homme.

Miracles qui sont enfin de progressives révélations de la route suivie par Jésus jusqu'au grand et unique MIRACLE, celui de sa RÉSURRECTION.

* *

– Dans sa *dimension horizontale vers les hommes*, Jésus n'en a « forcé » aucun à le suivre, mais il n'a exclu personne de sa communion. Il les a tous accueillis et portés en son cœur.

C'est à tous que Jésus a été envoyé. Il en a pris conscience peu à peu au cours de son action, revue sans cesse face à son Père dans le mystérieux silence de sa prière.

Homme parfait, c'est alors avec tous les hommes qu'il a marché sur la route de son histoire, jusqu'au sommet de la croix où il a pu dire véritablement : « tout est consommé ».

C'est pour cela, parce que Jésus est homme pleinement achevé, qu'en Lui la Nouvelle Alliance est définitivement scellée. Jésus est tout grand ouvert sur son Père, tout grand ouvert sur tous les hommes. Il est tout l'Homme, Il est tout Dieu, réunis en une seule personne. En Lui, nous sommes assemblés, unifiés, pardonnés et sauvés.

---

4. Nous nous permettons de citer ici (après l'avoir fait dans *Dieu n'a que des désirs*, M. Quoist, Éditions de l'Atelier, page 95) la définition du « miracle » donnée par Maurice Zundel dans son livre *Recherche du Dieu inconnu* : « Qu'est-ce qu'un miracle ? Le signe personnel de la divinité. Le triomphe de l'Esprit sur la matière ... Dans le miracle, il n'y a pas suppression mais élévation des lois de la nature, conformément à la nature des êtres créés, qui n'est au fond que d'exprimer le divin. Le miracle – éclair soudain de l'Esprit dans la matière – les élève en les faisant servir immédiatement à traduire le surnaturel ».

On ne peut comprendre saint Paul quand il nous dit que nous sommes déjà *morts et ressuscités dans le Christ*, si nous n'avons pas réalisé que, par son Amour, Jésus s'est incorporé tous les hommes, toute l'humanité, tout l'univers.

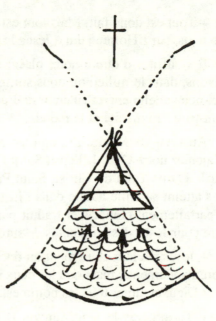

* * *

Ajouter notre oui

– Tout est fait. Parfaitement fait. Jésus a ré-unifié, ré-orienté, et ré-animé l'humanité en y injectant son Amour infini.

En l'Homme (Adam, comme dit la Bible), nous étions morts, à bout de « souffle », morts de ne pas avoir assez aimé. Jésus a restitué à son Père tout l'Amour gâché, refoulé, détourné, et le Père, à cause de cette libre et parfaite offrande de son Fils, a ressuscité sa Vie et la nôtre.

Les portes de la Vie Nouvelle sont ouvertes. La Source peut jaillir jusqu'en éternité, et l'eau être offerte à tous les samaritains et samaritaines de l'histoire humaine, pour en faire des hommes nouveaux dans un monde nouveau.

– Tout est fait. Il nous reste maintenant à détailler dans notre propre histoire avec nos frères ce grand Mystère de *Création* continue de l'univers, de l'humanité. Par notre oui implicite ou explicite, nous lui permettons d'actualiser son *Incarnation* et sa *Rédemption*[5].

---

5. Je me permets de signaler le livre *Le Christ est Vivant !*, qui tente d'exprimer ce grand mystère d'Amour que nous avons à vivre dans le temps, chaque jour, avec nos frères (Michel Quoist, Éditions de l'Atelier). J'aurais voulu y revenir ici, mais mon état de santé ne me le permet pas.

– Tout est donc fait. Mais tout est à faire, par toi et par chacun d'entre nous, par l'Homme uni à Jésus le Christ.

Il « suffit » d'être à notre place, à côté de ceux avec lesquels nous vivons, dans le milieu où nous sommes, interpelés par les événements qui nous atteignent, et au cœur de l'action qui peu à peu nous construit, construit l'humanité et le monde.

Au OUI de Marie, il s'agit en fait, à chaque occasion, d'essayer d'ajouter notre OUI. L'Esprit Saint l'attend pour que continue de grandir le Corps Total du Christ. Saint Paul nous dit en effet que Jésus n'a pas atteint sa taille adulte dans l'histoire, ce qu'Élisabeth de la Trinité a parfaitement compris et traduit par cette belle expression : « Il faut être pour Jésus des humanités de surcroît ».

– Jésus déclare clairement au docteur de la loi qu'il n'y a que deux commandements, mais que les deux sont semblables. En fait, il faut aimer Dieu, et aimer tous les hommes.

« Tu aimeras le Seigneur ton Dieu de tout ton cœur, de toute ton âme, et de tout ton esprit ». Voilà le grand, le premier commandement ! Et voici le second, qui lui est *semblable* : « Tu aimeras ton prochain comme toi-même » (Matthieu 22, 36-39).

Cela aussi, nous ne pouvons le comprendre que si nous réalisons que la construction de l'homme et du monde se font en même temps dans leurs deux dimensions : dimension verticale vers Dieu, dimension horizontale vers l'humanité.

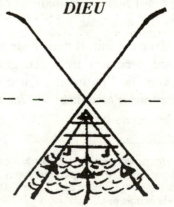

DIEU

– La vérité de notre démarche vers Dieu authentifie notre ouverture aux autres, et la vérité de notre démarche vers les autres authentifie notre ouverture à Dieu.

Celui qui s'ouvre à Dieu s'ouvre aux hommes ; de même qu'en s'ouvrant aux hommes, il s'ouvre à Dieu, même s'il n'en est pas pleinement conscient.

C'est dans la lumière de la résurrection que certains le découvriront : celui qui a faim, qui est étranger ... c'était donc toi ! (Matthieu 25, 1 et suivants).

Ainsi, plus je m'ouvre à Dieu, plus je m'ouvre aux autres, et plus je m'ouvre aux autres, plus je m'ouvre à Dieu.

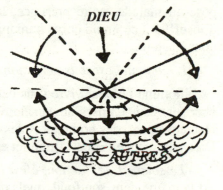

Ce jeune apprenti l'avait compris, quand, à la fin d'une récollection sur la construction de l'homme, il déclarait : « être saint, c'est donc savoir faire le grand écart et devenir plexiglas ».

– Si tu accueilles Dieu en toi, grâce à son fils Jésus Christ ; si, par attention et amour authentiques, tu accueilles les autres en ta maison, alors par toi se fera leur Rencontre, au-delà des gestes, au-delà des mots, parce que tu seras là, présent à ton Père et à tes frères.

Prier pour les autres, c'est alors essentiellement les exposer à Dieu en nous exposant à Lui. C'est continuer de nouer, avec le Christ, en Lui et par Lui, la Nouvelle et définitive Alliance.

– Si nous allons assez profond dans notre rencontre de Dieu ou des hommes, nous atteignons le cœur de Jésus, qui est tout homme et tout Dieu, et il n'y a alors plus de discontinuité entre contemplation et action, mais union totale dans le Christ.

* *\
*

– *Il suffirait que nous aimions*

C'est le même Jésus qui dit à la Samaritaine « donne-moi à boire » et qui, sur la Croix, murmure « j'ai soif ».

Il continue de le dire à chacun d'entre nous : j'ai soif de ton amour, de votre amour. Car l'humanité, dans le temps, est en manque de cet amour. Il suffirait que nous aimions.

– Il n'y a pas besoin de beaucoup de grandes et de brillantes actions pour couler beaucoup d'amour dans le monde et dans le corps humanité.

Comme le minuscule trou d'aiguille de la perfusion que l'infirmière pose au malade, notre présence, là où nous sommes, peut permettre d'insuffler à ce grand corps humanité un supplément de cet Amour qui donne la Vie.

– L'humanité est sous perfusion d'Amour

L'homme ne peut vivre sans cet Amour. Il doit sans cesse se brancher sur Jésus Christ Sauveur, le regarder, l'aimer, et se laisser aimer. Heureusement, des hommes et des femmes s'ouvrent le plus possible à Dieu pour accueillir cet Amour et en abreuver les autres.

– Le sommet de l'action, c'est la contemplation, contemplation qui est la même dans son fond, quels que soient la forme, le lieu, les situations ... où elle est vécue : sur le chantier des hommes et du monde en construction, ou à l'écart de ce monde, dans le silence et la solitude vécus au sein d'une petite communauté d'Église. À chacun sa place, à chacun sa « vocation », comme dans le corps humain chaque membre a son rôle à jouer, différent des autres, mais indispensable pour eux : celui d'accueillir la vie et de la transmettre.

Ainsi, certains acceptent de se livrer tout entiers dans le don au service de leurs frères. D'autres font le sacrifice de cette action directe qui leur permettrait de dépenser visiblement leur amour parmi ces frères.

Nous le disions, l'un et l'autre se rejoignent, au cœur même de Jésus. C'est en Lui que se nouent ces deux démarches, apparemment si différentes.

Oui, il suffirait que, là où nous sommes, nous aimions. Alors, le Monde serait, et nous serions à jamais réunis, au cœur de la Trinité brasier d'AMOUR Infini.[6]

---

6. Tu l'as peut-être remarqué : j'ai toujours évité d'employer ce mot d'Église. Pourquoi ? Simplement parce que c'est un de ces mots qui sont souvent très mal compris.
Aux yeux de beaucoup de jeunes, l'Église est une organisation d'un autre âge, un ensemble de bureaux lointains dans lesquels des technocrates élaborent des interdits ... Si c'est cela, tu as bien raison de regarder l'Église avec méfiance, de te situer à l'extérieur, et de la considérer comme un obstacle plutôt que comme un chemin vers Jésus Christ.

Voulez-vous que nous terminions en lisant ensemble une des premières prières que j'ai écrites il y a plus de quarante ans maintenant. Le sens n'en a point changé. Quant à moi, je la redis de tout cœur.

Je voudrais monter très haut, Seigneur,
Au-dessus de ma ville
Au-dessus du monde
Au-dessus du temps
Je voudrais purifier mon regard et t'emprunter tes yeux.

Je verrais alors l'Univers, l'Humanité, l'Histoire, comme les voit le Père.
Je verrais dans cette prodigieuse transformation de la matière
Dans ce perpétuel bouillonnement de vie,
Ton grand Corps qui naît sous le souffle de l'Esprit
Je verrais la belle, l'éternelle idée d'amour de ton Père qui se réalise progressivement :
Tout récapituler en toi, les choses du ciel et celles de la terre.
Et je verrais qu'aujourd'hui comme hier, les moindres détails
y participent,
Chaque homme à sa place,
Chaque groupement
Et chaque objet.
Je verrais telle usine et tel cinéma.
La discussion de la convention collective et la pose de
la borne-fontaine.
Je verrais le prix du pain qu'on affiche et la bande de jeunes qui va au bal.
Le petit enfant qui naît et le vieillard qui meurt.
Je verrais la plus petite parcelle de matière et la moindre palpitation de vie,
L'amour et la haine,
Le péché et la grâce.
Saisi, je comprendrais que devant moi se déroule la grande aventure d'amour commencée à l'aurore du Monde,
L'Histoire Sainte qui selon la promesse ne s'achèvera que dans la gloire après la résurrection de la chair.

Lorsque tu te présenteras devant le Père en disant : c'est fait, je suis l'Alpha et l'Oméga, le commencement et la fin.

Je comprendrais que tout se tient,

Que tout n'est qu'un même mouvement de toute l'Humanité et de tout l'Univers vers la Trinité , en toi et par toi, Seigneur.

Je comprendrais que rien n'est profane, des choses, des personnes, des événements.

Mais qu'au contraire tout est sacré à l'origine par Dieu

Et que tout doit être consacré par l'homme divinisé.

Je comprendrais que ma vie, imperceptible respiration en ce grand Corps total,

Est un trésor indispensable dans le projet du Père.

Alors, tombant à genoux, j'admirerais, Seigneur, le mystère de ce Monde.

Qui, malgré les innombrables et affreux ratés du péché,

Est une longue palpitation d'amour, vers l'Amour éternel.

Je voudrais monter très haut, Seigneur,

Au-dessus de ma ville

Au-dessus du monde

Au-dessus du temps

Je voudrais purifier mon regard et t'emprunter tes yeux.

Prières, de M. Quoist, Les Éd. Ouvrières/Éd. de l'Atelier.

Mais la perspective est différente si on désigne par ce mot d'Église, un ensemble de croyants, de groupes, de mouvements, de communautés diverses où se retrouvent des disciples de Jésus Christ, prolongeant aujourd'hui la communauté de disciples qui a reçu l'Esprit-Saint au matin de la Pentecôte ; et si en même temps on est attentif, au-delà des personnes et de l'organisation à la réalité qui n'est pas directement visible : ce *Corps Total du Ressuscité* dont nous sommes les membres et que saint Paul nous invite à construire ensemble.

Nous l'avons dit, nous aurions désiré pouvoir mener jusqu'au bout cet ouvrage et développer la dernière partie en réfléchissant sur cette réalité du Corps Mystique. Nous regrettons en effet que les théologiens – en insistant depuis quelque temps sur d'autres dimensions de l'Église – n'aient pas fait le même effort pour mettre en valeur cette doctrine de fond, alors que les enjeux pédagogiques sont très importants.

Table des matières

Deuxième partie

L'HOMME ET SA DIMENSION HORIZONTALE

Troisième partie

L'HOMME ET SA DIMENSION VERTICALE

Mise en page par Édimicro
29, rue Descartes – 75005 Paris
Tél. : 01 43 25 35 77 & 36 77 – Télécopie : 01 43 25 37 65

Achevé d'imprimer par Normandie Roto Impression s.a.
61250 Lonrai
N° d'éditeur : 5171 – N° fab. : 5208 – N° d'imprimeur : 980048
Dépôt légal : janvier 1998
Imprimé en France